Chère lectrice,

Franchement, une fille bien pl̶a̶c̶e̶ ... elle de son propre mariage ? Se réfugie-t-elle chez le premier venu ? Non. Et pourtant, c'est ce que fait Carly en l'espace de douze heures. Et bien d'autres choses encore à découvrir dans *Une nouvelle vie pour Carly C.* (1207).

Gaylyn est au bord du désespoir. Depuis l'époque où elle était gosse, elle est amoureuse du même beau ténébreux indifférent. *Comment conquérir l'homme de ses rêves*, lorsqu'il s'entête à ne voir en vous qu'une gamine ? Toutes les astuces sont dans le livre (1208) !

Pour Paige, tout ce qui ressemble de près ou de loin à un appareil ménager est une sorte d'ovni. Pourtant, c'est pour entretenir la maison que Logan l'a embauchée. Tenir une maison... *Une audacieuse expérience*, pour cette jeune femme-là (1209) !

Parce qu'elle enrage de ne pas être reconnue à sa juste valeur dans l'agence de détectives de son père, Maddie se lance *A la poursuite de l'amour* (1211). Vous ne voyez pas le rapport ? C'est une bonne raison pour lire ce roman où il est question d'un séducteur qui dépouille ses conquêtes de leur fortune.

« Et si nous oubliions la guerre qui nous oppose ? suggère Alex à Geri. Juste une journée ? » La proposition est tentante... *Au risque de s'aimer*, alors... (1212).

Et pour compléter ce programme, étape obligatoire au « 20, Amber Street ». C'est au tour de Meredith de vous ouvrir la porte de son appartement, et le secret de ses confidences dans *Sans l'ombre d'un doute ?* (1210).

Bonne lecture !

La Responsable de collection

Comment conquérir l'homme de ses rêves

CATHIE LINZ

Comment conquérir
l'homme de ses rêves

HARLEQUIN

COLLECTION ROUGE PASSION

Cet ouvrage a été publié en langue anglaise
sous le titre :
SEDUCING HUNTER

Traduction française de
SYLVIE TROIN

HARLEQUIN®

est une marque déposée du Groupe Harlequin
et Rouge Passion® est une marque déposée d'Harlequin S.A.

Originally published by Silhouette Books,
division of Harlequin Enterprises Ltd.
Toronto, Canada

Illustration de couverture :
© WHITE PACKERT / GETTY IMAGES

© 1996, Cathie L. Baumgardner. © 2003, Traduction française : Harlequin S.A.
83-85, boulevard Vincent-Auriol, 75013 PARIS — Tél. : 01 42 16 63 63
Service Lectrices — Tél. : 01 45 82 47 47
ISBN 2-280-11974-9 — ISSN 0993-443X

1.

— Ne fais pas ça ! Je t'en prie… Non !

Gaylynn s'éveilla en sursaut au son de ses cris angoissés. D'un revers de main, elle essuya ses joues inondées de larmes et tenta d'oublier les images qui étaient revenues la hanter : le couloir désert, le bras qui la ceinturait, l'éclat bleuté de la lame du couteau à cran d'arrêt, son contact glacé sur sa gorge, le sang…

— C'est fini, chuchota-t-elle dans le silence. Tu ne risques plus rien, maintenant.

Tremblant encore de tous ses membres, elle regarda le réveil sur sa table de nuit. Il était déjà 3 heures de l'après-midi. Elle était encore toute habillée car elle s'était couchée dès son arrivée au chalet de son frère, épuisée d'avoir conduit toute la nuit, effectuant d'une traite le long trajet entre Chicago et la Caroline du Nord.

La sagesse aurait voulu que Gaylynn s'arrêtât dormir en chemin, mais, sitôt décidé de gagner les Blue Ridge Mountains, elle n'avait eu de cesse d'atteindre sa destination, espérant laisser ses cauchemars derrière elle.

— C'est raté, ma fille, marmonna-t-elle.

Les grognements de son estomac lui rappelèrent tout à coup qu'elle s'était couchée sans même prendre le temps de se restaurer. Etouffant un bâillement derrière sa main, elle se leva lentement et gagna la cuisine.

Elle achevait de se préparer un sandwich avec le saucisson et le pain de mie qu'elle avait apportés quand elle avisa sur la table le carton que son frère Michael lui avait remis la veille, juste avant qu'elle ne quittât la réception qu'il donnait pour fêter son mariage avec l'adorable Brett.

Posant son en-cas en équilibre sur le mystérieux colis, Gaylynn porta le tout sous la véranda de bois baignée de soleil et s'installa dans le rocking-chair de rotin qui semblait avoir été prévu pour elle.

A Chicago, les arbres étaient encore dénudés, mais, dans le Sud, le printemps était visiblement plus précoce, les branches étaient déjà couvertes de feuilles vert tendre et des dizaines de pâquerettes formaient de minuscules taches blanches dans le jardin.

Un léger bruissement attira soudain l'attention de Gaylynn. Plissant les yeux, elle vit un chat efflanqué genre siamois, accompagné de deux chatons, un beige et un tigré, émerger du bois qui bordait la cour.

Tout en leur parlant d'une voix douce pour les rassurer, Gaylynn s'approcha pour leur tendre un morceau de saucisson. En dépit de la lenteur délibérée de ses mouvements, la mère et ses petits se réfugièrent d'un bond à l'abri des buissons.

Des larmes de déception piquèrent les yeux de Gaylynn. Elle comprenait ces chats, et comment ! Elle aussi avait connu ce sentiment de pure panique. Elle aussi avait été affolée au point de fuir une main tendue.

A son grand soulagement, elle constata bientôt que les trois chats n'étaient pas allés bien loin. Tapis derrière sa voiture dans la cour, ils l'épiaient avec inquiétude. Renonçant à les approcher, elle déchiqueta deux rondelles de saucisson avec ses doigts et laissa les morceaux dans l'herbe. Puis elle retourna sous la véranda.

Quelques secondes plus tard, elle eut la joie de voir la petite famille s'aventurer prudemment vers la nourriture. Après avoir englouti jusqu'au dernier morceau de saucisson, les chats repartirent dans le bois.

Cette fois, elle ne s'en formalisa pas. Après tout, elle aussi préférait éviter les humains, ces derniers temps.

Reprenant place dans le rocking chair, elle prit sur ses genoux le « petit quelque chose du pays » que son frère aîné lui avait donné pour lui porter bonheur.

En dépit de leurs origines tziganes hongroises, Michael était très pragmatique et cartésien. Il n'avait jamais cru en la chance ou à la magie avant de rencontrer son épouse. Leur père, Konrad Janos, était tout le contraire, il connaissait des centaines de sortilèges porte-bonheur et il avait tenu à ce que Gaylynn emportât sa patte de lapin.

Il ignorait que rien ne pouvait protéger sa fille de la peur viscérale qui l'habitait en permanence depuis un mois, pensa tristement Gaylynn. Et pour cause. Elle avait volontairement caché à toute sa famille ce qui lui était arrivé, se contentant de prétexter un surmenage dû à une surcharge de travail pour justifier son départ précipité vers les Blue Ridge Mountains.

N'ayant jamais approuvé son obstination à enseigner dans un lycée de zone géographique sensible, ses parents avaient été trop soulagés de la voir quitter un environnement de travail qu'ils jugeaient dangereux pour songer à s'interroger sur sa fuite.

Malgré la douceur de l'air, Gaylynn frissonna alors que le film de son agression défilait de nouveau au ralenti devant ses yeux. Elle n'avait pas vu venir le danger. Elle n'avait même pas imaginé qu'une telle chose pût se produire.

Certes, il y avait eu des précédents dans d'autres établissements scolaires, mais elle ne leur avait accordé qu'une importance relative, se contentant de respecter des règles élémentaires de prudence.

Jusqu'au soir où...

Elle s'était attardée dans sa salle de classe pour corriger des copies sans s'apercevoir que tous ses collègues étaient déjà rentrés chez eux. Quand elle était sortie dans le couloir, il faisait nuit noire. Un bras de fer l'avait ceinturée par-derrière tandis que la pointe d'un couteau s'enfonçait à la base de son cou.

Tétanisée par la peur, elle s'était trouvée incapable de faire un geste ou de crier. Alors qu'elle avait toujours été la casse-cou pleine de ressources de sa famille, elle s'était soudain sentie impuissante et désemparée.

Son assaillant voulait de l'argent. Furieux de ne trouver que quelques dollars dans son sac, il l'avait projetée contre la rangée de casiers métalliques en proférant des insultes et des menaces. Tandis qu'il prenait la fuite, elle avait reconnu Duane Washington, un de ses anciens élèves, qu'elle avait jugé brillant et prometteur, à l'époque.

Le lendemain soir, les remords et les regrets étaient venus s'ajouter à sa peur.

Sur l'écran de sa télévision, elle avait vu un corps recouvert d'un drap ensanglanté au milieu d'un carrefour. Tandis que le caméraman faisait un gros plan sur la flaque pourpre qui maculait le bitume, le commentateur avait expliqué :

— Duane Washington était recherché pour agression. Il a été renversé par un bus alors qu'il tentait de fuir la police. Selon les témoins, il est mort sur le coup.

Depuis, ces images hantaient Gaylynn nuit et jour : le sang coulant sur la chaussée, le corps de Duane... et les « si » s'évertuaient à danser une ronde infernale dans sa tête.

Si elle n'avait pas porté plainte contre Duane, il serait encore vivant.

Si les policiers n'avaient pas été à sa recherche, il n'aurait pas tenté de leur échapper et il n'aurait pas été heurté par ce bus.

Et, si elle avait vraiment été un bon professeur, elle aurait été plus psychologue, elle aurait remarqué que Duane avait de mauvaises fréquentations et glissait sur une mauvaise pente, elle aurait compris que la drogue risquait de faire de cet adolescent de quinze ans intelligent et plein d'avenir un être violent et désespéré.

On ne pouvait pas réécrire l'histoire, concluait-elle invariablement avec une indicible tristesse. Désormais, elle n'osait plus fermer les yeux de peur de faire encore des cauchemars, elle avait peur de dormir dans le noir. En fait, elle était obnubilée par la peur : la peur d'avoir mal agi, la peur d'être responsable de la mort de Duane, d'être encore agressée.

Elle s'était tout d'abord dit qu'elle souffrait d'un stress post-traumatique tout à fait normal qui s'atténuerait de lui-même, comme une mauvaise grippe. Mais, ses symptômes persistant après trois semaines, elle avait dû se rendre à l'évidence : elle était incapable d'assurer ses cours. Alors, avec la bénédiction du proviseur du lycée, elle s'était résolue à prendre un congé sans solde.

Comme chaque fois qu'elle évoquait trop longtemps son agression, Gaylynn fut parcourue de tremblements convulsifs. Le carton qu'elle tenait toujours sur ses genoux bascula vers le plancher de la véranda. Le rattrapant de justesse, elle s'ordonna :

— Calme-toi. Ici, tu ne risques plus rien, maintenant.

Pour se distraire, elle inspecta le contenu du carton. Elle n'y trouva qu'une boîte de métal, une liasse de vieux documents maintenus ensemble par une faveur rouge à laquelle était épinglée une courte lettre jaunie par le temps qui disait :

« Cher descendant de la lignée des Janos.

» Il est grand temps que tu connaisses notre secret de famille. Je me fais vieux et je n'ai ni le temps ni les mots justes pour te raconter comment tout a commencé, tes parents le feront certainement mieux que moi. Sache juste que ce coffret magique permet de trouver l'amour. Si tu en prends soin et si tu l'utilises avec discernement, tu connaîtras un immense bonheur. Si tu en fais mauvais usage, ta vie ne sera que tristesses et souffrances. »

Son frère avait collé un Post-it sur le coffret :

« J'ai pensé que ceci pourrait te servir. Brett jure que c'est grâce à ce coffret magique que nous avons été réunis. Je te laisse juger par toi-même de son efficacité.

Michael. »

C'était donc le fameux coffret, celui dont toute la famille Janos parlait mais que Gaylynn n'avait encore jamais eu l'occasion de voir depuis que sa grand-tante Magda l'avait rapporté de Hongrie.

Gaylynn se souvenait encore de la première fois où ses parents avaient mentionné l'objet devant elle. C'était un soir de Noël, son père avait décidé de raconter une belle légende à ses enfants, neveux et nièces rassemblés autour de lui devant la cheminée.

12

« Il y a très très longtemps, avait-il commencé, une jeune et belle ancêtre rom s'est amourachée d'un hobereau qui ne lui témoignait que mépris.

» Au comble du désespoir, elle s'est adressée en cachette à une ancienne de la tribu réputée pour ses connaissances en sorcellerie et l'a suppliée de faire en sorte que le comte tombe amoureux d'elle.

» En échange d'une somme rondelette, la vieille femme a marmonné des incantations en agitant les mains au-dessus d'un coffret d'argent qu'elle a ensuite remis à sa cliente en lui recommandant de l'ouvrir la prochaine fois qu'elle se trouverait en présence de celui dont elle voulait gagner l'amour.

» Selon toute vraisemblance, l'ensorceleuse avait surestimé ses pouvoirs ou s'était trompée de formule, car depuis lors, une génération sur deux, les Janos tombent amoureux de la première personne qu'ils voient après avoir ouvert le coffret. »

Très intriguée, Gaylynn se pencha pour examiner le coffret mais son rocking-chair bascula en avant et le couvercle métallique s'ouvrit. Elle leva automatiquement les yeux, se rappelant qu'elle était censée avoir le coup de foudre pour le premier homme qu'elle verrait. A sa grande consternation, elle aperçut alors un homme vêtu de haillons qui longeait le bois, le dos courbé sous le poids d'un sac à dos ou d'une gibecière.

Epouvantée, elle se leva d'un bond. Mais, déjà, le vagabond avait disparu derrière le rideau d'arbres.

— Après avoir ouvert le coffret, Michael a rencontré sa jolie Brett. Moi, je tombe sur un clochard ! maugréa-t-elle. Il n'y a pas à dire, j'ai de la chance.

Avec un soupir dépité, elle reposa le coffret et les documents au fond du carton. Et, tout en rabattant les pans du couvercle, elle regretta de ne pas pouvoir remballer aussi facilement ses émotions.

En fin d'après-midi, elle avait attribué un nom aux chats. La mère — car c'était incontestablement une femelle étant donné le soin attentif donc elle entourait ses petits — serait Cléo. Le chaton aux yeux bleus ne pouvait être que Bleuet. Quant à son frère si craintif, le nom de Froussard lui irait comme un gant. Restait à espérer que les petits étaient bien des mâles.

Tout en retournant vers le bois avec ce qui lui restait de saucisson, des biscuits, du lait écrémé et du thon en boîte, Gaylynn se promit de se rendre dès le lendemain matin à Lonesome Gap, la ville la plus proche, afin d'acheter des croquettes et des boîtes pour chat. Elle en profiterait également pour remplir son garde-manger car elle ne pouvait pas se nourrir éternellement de gâteaux et de maïs en conserve.

Les trois chats sortirent de derrière un buisson dès qu'elle les appela. Sans la quitter des yeux, ils avancèrent prudemment vers la nourriture qu'elle avait disposée sous un arbre à leur intention.

Elle prit tant de plaisir à les regarder manger et à leur parler doucement pour les rassurer et les inciter à venir vers elle qu'elle ne vit pas le temps passer.

Lorsqu'elle leva les yeux, elle s'aperçut que le soleil s'était couché. Un mois plus tôt, elle aurait apprécié de voir la nuit envelopper la nature de son manteau bleu velouté, elle aurait savouré le calme de cette belle soirée de printemps. Mais, ce soir, l'obscurité lui semblait menaçante, les arbres immenses évoquaient des inconnus prêts à se jeter sur elle.

L'estomac noué, elle se releva abruptement, effrayant sans le vouloir Bleuet qui avait fini par s'approcher à moins d'un mètre d'elle. Tandis que le chaton paniqué s'enfuyait à toutes pattes, des larmes de dépit et de déception montèrent aux yeux de Gaylynn.

Elle se reprocha vertement sa faiblesse. Bon sang, elle n'avait jamais été du genre pleurnichard. La preuve : elle n'avait même pas pleuré quand elle s'était fait une double fracture du bras le jour de ses quatorze ans.

Fermement résolue à maîtriser ses émotions et ses nerfs à fleur de peau, elle serra les dents et se hâta de regagner le chalet. Voyant des lanternes s'allumer sous la véranda et autour de la cour, elle se souvint que Michael avait fait installer un système d'éclairage extérieur qui se mettait automatiquement en marche à la tombée de la nuit, et elle bénit la prévoyance de son frère.

Elle venait de retrouver la tiédeur accueillante du chalet et passait devant la fenêtre du salon quand elle vit deux phares blancs percer les ténèbres.

Ce fut plus fort qu'elle. La panique lui glaça le sang, son cœur menaça d'exploser. Le chalet de son frère était construit au bout d'un chemin de terre, trop loin de la route principale pour qu'un touriste ou un habitant de la vallée s'y aventurât par hasard. C'était d'ailleurs l'une des raisons pour lesquelles elle avait eu envie de s'y réfugier. Tandis qu'elle effectuait le long trajet depuis Chicago, elle avait savouré à l'avance la certitude d'être le seul être humain à des kilomètres à la ronde. Certes, un clochard était passé à l'orée du bois dans l'après-midi, mais il devait être loin à l'heure qu'il était.

Toute sa famille étant à Chicago, elle n'attendait aucune visite. Pourtant, déjà, une berline de couleur sombre s'arrêtait au milieu de la cour, un homme en descendait. Il était grand, avec de larges épaules, terriblement imposant. Et menaçant.

Le cœur au bord des lèvres, Gaylynn courut se tapir près de la fenêtre de l'entrée et épia l'intrus qui se dirigeait à grandes enjambées vers les marches de la véranda. Lorsqu'il passa dans la lumière d'une lanterne, elle distingua ses épais cheveux bruns bouclés, son front haut, ses traits virils taillés à la serpe…

Et là… Elle le reconnut. Lui. Sa panique se mua aussitôt en exaspération. Vite, elle courut dans l'entrée et ouvrit la porte à la volée.

— Nom d'un chien ! Je ne rêve pas, c'est bien toi ? Que fais-tu ici ?

— Alors, alors, lui reprocha aussi sec Hunter Davis avec un sourire moqueur. Est-ce une façon d'accueillir son vieil ami ?

2.

Gaylynn n'avait pas vu Hunter Davis depuis…

… Plus de dix ans. Pourtant, elle avait l'impression que leur dernière rencontre remontait à la veille. Il n'avait pratiquement pas changé, ses cheveux noirs comme jais étaient juste un plus longs, avec quelques fils argentés aux tempes, et ses yeux étaient toujours d'un vert intense évoquant les eaux limpides d'un lac de montagne.

— Vas-tu enfin m'inviter à entrer, Red ? demanda Hunter.

Enfant, elle avait détesté ce surnom. Devenue adulte, elle en était toujours prodigieusement agacée, sans doute parce qu'il lui rappelait combien elle avait été stupide autrefois.

A l'époque, elle s'était fait un rinçage au henné pour impressionner « l'homme de sa vie », mais, au lieu d'obtenir les magnifiques reflets cuivrés espérés, elle s'était retrouvée avec une chevelure d'un roux flamboyant.

Bien évidemment, Hunter n'avait jamais su qu'il peuplait ses rêves. A l'époque, il n'avait que vingt ans, mais, aux yeux de l'adolescente transie d'amour qu'elle était, il avait eu le prestige excitant d'un homme mûr et viril.

Ce soir, Gaylynn réalisait combien elle s'était trompée. Maintenant, Hunter était un homme. Certes, il n'avait pas la beauté parfaite et compassée des mannequins de *Vogue*, les années avaient creusé quelques rides sur son front et au coin de ses yeux, et ses traits étaient trop anguleux, sa bouche trop grande ; cependant, il attirait et retenait incontestablement l'attention.

Irritée d'être encore sensible à son charme après tant d'années, Gaylynn demanda sèchement :

— Que fais-tu ici ?

Au lieu de répondre, son visiteur la dévisagea attentivement et fronça les sourcils.

— Qu'est-ce qui ne va pas, Red ? Tu as une mine affreuse.

Elle sentit ses joues s'embraser alors qu'elle considérait ses vêtements froissés et son jean maculé de terre et de poussière aux genoux, puis portait une main à ses cheveux emmêlés et en retirait une feuille morte.

— Je n'attendais pas de visite, figure-toi.

Piquée au vif, elle tenta de le pousser vers la porte.

— Reviens un autre jour.

Elle aurait tout aussi bien pu essayer de déplacer le mont Rushmore. Son visiteur ne bougea pas d'un pouce.

— Je n'irai nulle part tant que tu ne m'auras pas dit pourquoi tu es dans ce triste état.

— Je ne me mets pas sur mon trente et un quand je suis en vacances. Si ça ne te plaît pas, je ne te retiens pas.

Au comble de l'irritation et de l'humiliation, Gaylynn tourna les talons et alla s'enfermer dans la salle de bains. Un regard au miroir accroché au-dessus du lavabo lui apprit qu'Hunter n'avait pas exagéré. Elle avait vraiment une tête de déterrée.

Comme elle s'y attendait, lorsqu'elle revint dans l'entrée après s'être recoiffée et avoir mis une touche de rouge à lèvres, il était toujours là.

— Tu es content ? demanda-t-elle avec un sourire de défi.

— Je ne parlais pas de ta coiffure mais de tes yeux.

— Je n'ai pas beaucoup dormi…

— Ce n'est pas ça.

Lui prenant le menton, Hunter l'obligea à affronter son regard scrutateur.

— Il y a quelque chose dans ton regard…

Elle ferma les yeux de toutes ses forces. Mais, de ce fait, elle fut encore plus consciente de la chaleur des doigts d'Hunter sur sa peau. En l'espace d'une seconde, elle redevint adolescente. Elle avait de nouveau treize ans, son cœur palpitait d'émotion parce que « le plus bel homme de la terre » était tout près d'elle. Son monde se résumait à Hunter, à la force qui émanait de son corps musclé, au délicieux trouble qui l'envahissait quand elle était près de lui.

Effrayée par l'intensité de sa réaction, elle repoussa sa main et recula vivement.

— C'est Michael qui t'envoie ? Il t'a demandé de me surveiller ?

— Il m'a juste appelé pour dire que tu venais. Mais je…

— Je vais le tuer !

— Attends une minute, Red…

Adolescente, elle voulait l'attendre toute sa vie. Encore maintenant, elle avait envie de se blottir pour toujours contre son large torse, de nouer ses bras autour de sa taille, de savourer pour toujours sa chaleur réconfortante qui semblait irradier jusqu'au plus sombre de son cœur….

Elle devait se débarrasser de lui, sa raison chancelante le lui ordonnait. Avant de faire ou de dire quelque chose qu'elle regretterait amèrement.

— Je vais bien, affirma-t-elle avec nonchalance. Tu n'as pas besoin de perdre ton temps à veiller sur la peste de sœur de ton ami.

— Tu n'es pas une peste.

— Tu n'as pas toujours dit ça.

— Tu avais cinq ans, à l'époque.

— Neuf.

Elle se souvenait encore parfaitement du jour où Hunter et ses parents avaient emménagé à côté de chez eux. Dès l'instant où elle l'avait vu, il était devenu son idole et elle l'avait suivi comme son ombre, suscitant alternativement son attendrissement, sa colère et son exaspération. Puis, les années passant, elle était tombée éperdument amoureuse de lui.

— Pourquoi mon frère tenait-il à te prévenir de mon arrivée ?

Hunter haussa les épaules.

— Je garde son chalet, alors…

— Tu veux dire que tu habites ici ? demanda Gaylynn, horrifiée à la perspective de devoir partager son refuge.

Hunter secoua la tête.

— Non, bien sûr.

— Ah tant mieux ! s'exclama-t-elle du fond du cœur.

Son soulagement fut de courte durée.

— Mais je vis tout près, précisa Hunter.

— Je n'ai pas vu d'autre maison dans les environs.

— Mon chalet est caché par les arbres. Tu ne peux pas le voir. Mais il est vraiment à deux minutes de marche.

« Merveilleux ! pensa sombrement Gaylynn. Je me suis réfugiée à deux minutes de la tentation incarnée. »

— Tu ne savais pas que Michael et moi avions acheté ensemble un grand terrain et les deux chalets qui s'y trouvaient ? s'étonna Hunter.

— De toute évidence, mon frère ne me dit pas tout.

Le cachottier ! Le traître ! ragea Gaylynn en silence. Dès qu'elle aurait Michael au téléphone, elle lui dirait deux mots.

— Revenons-en à nos moutons, décida Hunter. Vas-tu enfin me dire ce qui se passe ?

— Rien de spécial. Enfin, si, Michael et Brett se sont mariés hier pour la deuxième fois.

Gaylynn haussa les épaules.

— C'est une longue histoire. Très compliquée.

Surtout à cause d'un coffret tzigane magique qui se trouvait pour le moment dans un carton sur la table basse du salon.

Dommage qu'Hunter ne soit pas passé la voir quand elle l'avait ouvert. Contrairement à Michael, elle aimait penser qu'il y avait de la magie sur terre.

Du moins, elle avait aimé le croire. Maintenant elle n'en était plus certaine. En fait, elle n'était plus sûre de rien.

— Michael m'avait invité à son mariage, dit Hunter. Malheureusement, je n'ai pas pu y assister, j'étais de permanence.

Michael et Hunter avaient suivi les cours de l'école de police ensemble. Mais, à la fin de leurs études, le frère de Gaylynn avait choisi de créer sa société de surveillance et de gardiennage tandis qu'Hunter, major de leur promotion, avait été recruté par la police criminelle de Chicago.

Il s'était marié deux années plus tard, se souvint Gaylynn, quand elle était entrée à son tour à l'université.

— Comment va ta douce moitié ? s'enquit-elle sans pouvoir contenir une pointe d'acidité.

— Je n'en ai pas la moindre idée. Nous avons divorcé il y a cinq ans.

Gaylynn ouvrit de grands yeux.

— Michael ne m'en a rien dit.

Son frère n'était décidément pas doué pour la communication.

Hunter haussa les épaules, attirant son attention sur la largeur de sa carrure.

— Regarde ailleurs, s'ordonna Gaylynn à mi-voix.

— Pardon ?

Le rouge aux joues, elle secoua la tête.

— Rien. Je parlais toute seule.

— C'est signe que tu as besoin de compagnie, déclara Hunter.

— Absolument pas. Je suis venue ici parce que j'avais besoin de solitude.

Hunter nota le tremblement de sa main alors qu'elle rejetait ses cheveux en arrière. Elle n'avait jamais été du genre nerveux, au contraire. Il avait souvent eu l'occasion d'admirer son cran, sa ténacité. Il se souvenait encore du jour où elle avait fait irruption dans la cabane que Michael et lui avaient construite dans un arbre du minuscule jardin des Janos. A l'époque, Gaylynn avait huit ou neuf ans et, du haut de leurs quatorze ans, ils la considéraient comme un bébé et faisaient tout pour l'exclure de leurs jeux. Bien que sujette au vertige, elle avait multiplié les tentatives avant de parvenir à grimper à la corde qui menait à l'entrée de leur cabane et elle s'était écorché les mains. Elle avait gardé de sa mésaventure une cicatrice entre le pouce et l'index, son badge de courage, comme elle se plaisait à l'appeler.

Etrangement, quand il repensait à elle de loin en loin, Hunter se l'était représentée comme la gamine tout en bras et en jambes qu'il avait connue. Il était déconcerté de la retrouver entièrement femme, toute en courbes sensuelles et très attirante en dépit de sa mise négligée.

22

— Pourquoi me détailles-tu comme ça ? demanda Gaylynn mal à l'aise sous son regard intense.

— Je repense au jour où tu t'es invitée dans notre cabane. Tu t'en souviens ?

— Et comment !

Gaylynn fixa la minuscule demi-lune sur sa main. Son badge de courage. Maintenant, elle avait une autre cicatrice, à la base du cou. Et une plaie à l'âme qui ne se refermerait jamais. Le jour où Duane l'avait agressée, elle avait perdu bien plus que treize dollars. Elle avait perdu son courage, sa volonté, sa personnalité.

Sur le moment, son seul souci avait été de veiller à ce que son frère qui avait toujours de nombreux amis dans la police n'ait pas vent de ce qui lui était arrivé. Et, après avoir déposé plainte au poste de police, elle avait résolu de reprendre le cours normal de sa vie et de ne plus y penser.

Durant vingt-quatre heures, elle avait pensé pouvoir y parvenir. Mais, quand elle avait allumé sa télévision et vu le corps inanimé de Duane baignant dans une mare de sang, son contrôle sur ses émotions avait volé en éclats. Elle avait fondu en larmes et s'était mise à trembler de tous ses membres.

Le lendemain, cependant, elle s'était farouchement accrochée à sa résolution de surmonter l'incident et elle était retournée travailler. Mais, dès qu'elle avait franchi le seuil de sa salle de classe, une angoisse sans nom s'était emparée d'elle, la rendant incapable de parler, de faire un geste.

La voix d'Hunter la ramena au présent.

— Tu n'as jamais eu peur de rien.

Il avait toujours prisé le courage et l'audace, se souvint Gaylynn avec un serrement de cœur. S'il savait quelle froussarde elle était devenue, il serait affreusement déçu.

Son orgueil reprenant le dessus, elle tenta d'éconduire son visiteur avant qu'il ne perçoive sa faiblesse.

— J'aimerais bien continuer d'évoquer le bon vieux temps avec toi, mais j'allais me préparer à dîner et…

— Ça tombe bien, coupa Hunter. Je n'ai pas encore mangé.

— Je n'ai pas assez de provisons pour deux.

— Nous pouvons aller chez moi. Mon réfrigérateur est plein à craquer.

Elle secoua la tête avec véhémence.

— Je suis fatiguée. Je n'ai pas envie de sortir.

— Dans ce cas, je fais un saut chez moi et je rapporte ce qu'il faut pour préparer un festin.

Avec un sourire engageant, Hunter ajouta :

— Je ne t'ai pas vue depuis des années, je meurs d'envie de rattraper le temps perdu.

Pour sa part, elle mourait d'envie de l'embrasser.

Elle repoussa vivement cette pensée. Que lui arrivait-il ? Ses cauchemars et sa peur lui faisaient-ils perdre la tête au point de lui donner des idées saugrenues concernant un homme qui l'avait toujours considérée comme une peste, ou au mieux comme une petite sœur ?

— Je fais la meilleure sauce bolognaise de la région, se vanta Hunter.

— Je n'en doute pas, mais…

— Je reviens dans cinq minutes.

— C'est inut…

Coupant court aux protestations de son interlocutrice, il sortit sous la véranda puis courut à sa voiture.

Gaylynn s'adossa à la porte d'entrée avec un soupir de soulagement. Il était parti avant qu'elle se couvre de ridicule et lui révèle combien il l'affectait par sa seule présence.

Cependant, il allait revenir et continuer à semer le désordre dans son esprit déjà fortement ébranlé.

Hunter avait eu l'intention de s'arrêter cinq minutes chez Gaylynn, juste pour s'assurer qu'elle allait bien. Il ignorait ce qui l'avait poussé à s'imposer chez elle pour le dîner.

Peut-être étaient-ce les ombres qu'il avait décelées au fond de ses yeux noisette autrefois toujours pétillants de vie et de malice, ou tout simplement l'envie très naturelle de renouer avec une amie perdue de vue pendant des années.

Gaylynn n'était bien évidemment plus l'adolescente dont il avait gardé le souvenir. Elle devait avoir dans les trente ans puisque lui-même venait de fêter son trente-cinquième anniversaire. Déjà.

Seigneur, les années passaient à la vitesse de l'éclair. En quittant Chicago, il s'était promis de rester en contact étroit avec Michael, mais, pour finir, c'était à peine s'il était parvenu à lui envoyer une carte de vœux chaque année, et il n'avait même pas pu assister à son mariage.

Il regrettait d'être un si piètre ami. Et un si piètre diplomate. Comment avait-il pu exprimer son inquiétude pour Gaylynn en lui disant qu'elle était affreuse ? Pas étonnant qu'elle l'ait vertement rabroué.

Qu'est-ce qui avait pu la faire autant changer ? s'interrogea Hunter en se garant devant son chalet. Et pourquoi avait-elle quitté la réception de mariage de son frère en pleine nuit pour venir s'isoler dans la montagne ?

Michael n'avait pas su répondre à cette question quand il avait brièvement appelé son ami pour l'informer que Gaylynn allait occuper son chalet. Mais Hunter était bien décidé à profiter de son dîner avec Gaylynn pour obtenir des réponses. Parce qu'il ne pourrait pas aider la jeune femme tant qu'il ne saurait pas ce qui la préoccupait tant.

« Et, bien sûr, le fait qu'elle est devenue ravissante et qu'elle est extrêmement bien faite n'a rien à voir dans ton désir de jouer les bons samaritains », railla une voix dans la tête d'Hunter.

— Elle n'est pas si belle que ça, marmonna-t-il en entrant dans sa cuisine.

« Maintenant, tu parles tout seul, comme elle. Si elle n'est pas attirante, pourquoi as-tu senti des étincelles crépiter sur sa peau quand tu l'as touchée ? »

— C'était une réaction due à la fatigue d'une longue journée de travail, répliqua-t-il en rassemblant sur la table une boîte de coulis de tomate, des oignons, des carottes, des herbes aromatiques et de la viande hachée.

Gaylynn était la sœur de son meilleur ami. S'il tenait à s'assurer qu'elle allait bien, c'était uniquement par amitié et par altruisme.

Après s'être rapidement douchée et changée, Gaylynn se sentit infiniment mieux. Elle n'avait pas eu le temps de se laver les cheveux, mais quelques vigoureux coups de brosse avaient grandement amélioré son apparence. Ses cheveux avaient beaucoup trop poussé, constata-t-elle avec une grimace en se regardant dans le miroir, elle aurait dû aller chez le coiffeur avant de quitter Chicago.

Hunter avait les cheveux trop longs, lui aussi. Il était manifestement trop occupé pour prendre le temps de faire rafraîchir sa coupe.

Prenant une profonde inspiration, Gaylynn ravala le nœud qui se formait dans sa gorge.

— Tu es bonne actrice, dit-elle à son reflet. Alors, ce soir, fais une bonne performance.

Car elle ne se faisait pas d'illusions. Un peu plus tôt, elle était parvenue à éluder les questions embarrassantes d'Hunter, mais il allait revenir à la charge, parce qu'il avait senti qu'elle lui cachait quelque chose. Peut-être était-ce son instinct, ou de la déformation professionnelle. Quoi qu'il en soit, il était comme son frère, têtu, tenace comme un pitt-bull.

Heureusement pour elle, Michael avait été trop occupé par sa vie amoureuse et par les préparatifs de son mariage pour la soumettre à un interrogatoire en règle quand elle lui avait demandé si elle pouvait occuper son chalet quelque temps.

Il n'en irait pas de même avec Hunter. Alors elle ferait bien de préparer une histoire convaincante pour endormir ses soupçons.

— Tu ne t'étais pas vanté, ta sauce est divine, concéda Gaylynn en repoussant son assiette.

Durant tout le dîner, elle avait feint d'être enjouée et détendue. Mais, intérieurement, elle avait les nerfs en pelote, car elle était consciente du regard d'aigle qu'Hunter rivait sur elle.

— J'ai du mal à croire que ce monstre de Joey del Greco est devenu prêtre, murmura Hunter en secouant la tête.

Gaylynn sourit.

— Je le lui dirai.

— La dernière fois que je l'ai vu, il était en culottes courtes et il chapardait les pommes des Jablonski.

— Le pommier a disparu. Les Jablonski aussi.

— C'est drôle comme on a tendance à s'imaginer que les choses et les gens resteront tels qu'on les a connus, soupira Hunter. Toi, par exemple, je te revoyais toujours avec la casquette des White Sox enfoncée jusqu'aux yeux.

— Je la porte encore, confia Gaylynn. Mais, dis-moi, comment vont tes parents ?

— Ils se sont installés en Floride pour échapper à la rigueur des hivers de Chicago. Ils ont acheté un grand appartement à Sarasota.

— Ton père soutient toujours que les Cubs vont gagner le championnat ?

— Evidemment, confirma Hunter avec un grand sourire. Mais, entre nous, je crois qu'il commence à douter de la justesse de ses prédictions. A propos, ton père fait toujours appel à ses dons de voyance pour prédire la météo ?

— Il est souvent plus précis que les spécialistes de la télévision.

— Je me souviens encore de la fois où il m'a emmené pêcher dans le Wisconsin ; il a essayé de nous apprendre à chatouiller les truites. Michael et moi sommes rentrés bredouilles, mais lui, il en a attrapé une bonne douzaine.

Levant les bras au ciel, Hunter s'exclama :

— Je n'ai jamais compris pourquoi il avait tenu à en laisser une dans un arbre.

— C'était pour vous porter chance lors de votre prochaine partie de pêche à cet endroit, expliqua Gaylynn.

— Tu sais, je vous enviais terriblement parce que vous aviez le droit d'ouvrir vos paquets dès le soir du réveillon de Noël, confia Hunter, perdu dans ses réminiscences.

En plus, vous aviez d'autres cadeaux au début du mois de décembre.

Gaylynn hocha la tête.

— Saint Nicolas passait aussi.

— Nous avons eu une enfance heureuse, tu ne trouves pas ?

— Tout à fait, acquiesça-t-elle avec mélancolie.

Quand elle était petite, le monde était son royaume. Etant la seule fille de la maison, avec un frère aîné et un cadet, elle avait été encouragée, soutenue et rassurée à chaque étape importante ou difficile de sa vie.

Jusqu'au mois dernier.

Elle ne voulait pas raconter son agression à sa famille ou à Hunter. C'était une épreuve qu'elle estimait devoir surmonter seule. Parce qu'elle ne voulait pas décevoir ses proches en leur révélant combien elle était devenue craintive et timorée.

Comme les trois chats qu'elle essayait d'apprivoiser.

Un sourire attendri aux lèvres, elle demanda à son compagnon :

— Sais-tu si quelqu'un des environs a perdu une chatte siamoise et ses deux petits ? Ils étaient devant la maison cet après-midi, je leur ai donné à manger car ils étaient affamés.

Après une rapide réflexion, Hunter secoua la tête.

— Personne ne m'a signalé la disparition de ses chats. Ce doit être des animaux sauvages.

— Il faut que quelqu'un veille sur eux.

« Sur toi aussi », faillit répliquer Hunter. Contrairement à ce que sa compagne s'imaginait, il n'était pas dupe de sa décontraction. Il avait remarqué qu'elle s'était très peu servie et qu'elle triturait plus qu'elle ne mangeait le contenu de son assiette.

— Tu ne m'as toujours pas expliqué ce que tu es venue faire ici, lança-t-il nonchalamment pour ramener la conversation sur le sujet qui l'intéressait.

— J'avais besoin de repos.

— Alors tu es en vacances.

— Pas exactement.

— Que veux-tu dire ?

— Je te trouve bien curieux.

— Mes techniques d'interrogatoire sont imparables. Alors tu ferais tout aussi bien de me confier tes noirs secrets dès maintenant, encouragea Hunter avec un sourire taquin.

— Je vous en supplie, officier Davis !

Feignant la terreur, Gaylynn joignit les mains.

— Pas vos chatouilles fatales. Tout sauf ça !

Elle se souvenait encore des chatouilles d'Hunter quand elle était enfant.

— Avoue, ordonna Hunter d'une voix caverneuse.

Gaylynn soupira longuement.

— D'accord, d'accord. Je suis recherchée par toutes les polices de Chicago pour deux amendes de stationnement impayées. Je ne vous opposerai aucune résistance, officier Davis, ajouta-t-elle en présentant ses poignets à son compagnon. Passez-moi les menottes.

— Ne me tente pas, marmonna Hunter tandis que son esprit traître lui représentait son interlocutrice uniquement vêtue des bracelets d'acier.

Que lui prenait-il ? s'interrogea-t-il en secouant la tête pour mettre un terme à ce diaporama excitant. Gaylynn était une amie de longue date, qui plus est la petite sœur de Michael.

— Alors, insista-t-il dans un effort désespéré pour revenir à la réalité. Pourquoi es-tu venue à Lonesome Gap ?

— Ça suffit, maintenant ! s'écria Gaylynn avec exaspération. J'étais fatiguée et j'ai décidé de changer d'air. Point final.

— Combien de temps comptes-tu rester ?

— Je n'en sais encore rien.

— Tu dois bien connaître la date de la rentrée…

Hunter se frappa le front.

— Mais j'y pense, ce ne sont pas les vacances scolaires.

— Bravo, Sherlock ! railla Gaylynn.

— Tu as pris un congé sans solde ?

— Exactement.

— Pour quel motif ?

Devant tant d'insistance, Gaylynn sentit la moutarde lui monter au nez. Elle se leva brusquement et commença à débarrasser la table.

— Cela ne te regarde pas, lança-t-elle d'un ton définitif en portant les assiettes à l'évier.

Hunter prit leurs verres et la suivit.

— Tu es souffrante, dit-il d'un ton accusateur.

Gaylynn leva les yeux au ciel.

— Après sept ans d'enseignement, tout le monde craque un jour ou l'autre.

— Pas toi, protesta Hunter.

— Pourquoi ?

— Tu es trop forte.

Ce compliment implicite accrut la gêne de Gaylynn. S'il savait combien elle était peureuse et faible !

— Tu ne m'as pas vue depuis dix ans, répliqua-t-elle. Tu ne sais rien de moi.

— J'ai eu de tes nouvelles par Michael. Dans chacune de ses cartes de vœux, il me racontait qu'en dépit des exhortations de ta famille tu t'obstinais à enseigner dans un quartier difficile, parce que tu voulais faire la différence.

Hunter se pencha pour poser les verres dans l'évier. En le sentant si proche, Gaylynn sursauta comme si elle avait reçu une décharge électrique.

— Qu'est-ce qui ne va pas ? demanda-t-il, étonné par sa réaction.

Soudain, une explication plausible germa dans son esprit. Il scruta sa compagne avec angoisse.

— Tu as été agressée, c'est ça ?

3.

Gaylynn se força à rire.

— Ne sois pas stupide ! Ce n'est pas parce que je suis un peu nerveuse qu'il m'est arrivé quelque chose.

— Et, même si c'était le cas, tu ne me le dirais pas, devina Hunter.

— Si tu en es tellement convaincu, pourquoi me poses-tu la question ?

— Parce que je veux t'aider.

Blessée dans son amour propre, Gaylynn leva le menton.

— Je ne suis pas un de ces oisillons tombés du nid que tu ramenais tout le temps chez toi. Je n'ai besoin de personne.

— Je suis très doué pour soigner les ailes blessées, affirma Hunter en s'approchant si près qu'elle sentit son souffle caresser son cou et sa gorge.

Il était doué pour beaucoup de choses, entre autres faire palpiter son cœur comme si elle était une jeune fille se rendant à son premier bal, rêvant à ce qui pourrait être.

Mais, justement, elle n'était plus une adolescente naïve et innocente, se rappela sévèrement Gaylynn.

— Tant mieux pour les oiseaux du coin, railla-t-elle. Moi, je n'ai pas d'ailes. Je n'ai pas besoin de ton aide, je t'assure.

Lui massant doucement l'épaule, Hunter murmura :

— Tu te souviens que tu croyais Michael quand il te disait que tu aurais des ailes d'ange en grandissant ?

— J'étais très naïve.

— Et maintenant ?

— Je dois l'être encore un peu.

Au prix d'un gros effort, Gaylynn recula hors de portée des caresses envoûtantes de son compagnon.

— La preuve, ajouta-t-elle avec un rire forcé, je t'ai laissé me convaincre de t'inviter à dîner.

— Tu oublies que c'est moi qui ai préparé notre repas. Demain soir, ce sera ton tour.

— Je ne suis pas venue ici pour faire la cuisine.

— Pour quoi faire, alors ?

Hunter avait encore saisi la balle au bond. Mais, cette fois, Gaylynn s'y attendait. Elle ne se laissa pas déstabiliser.

— J'ai déjà répondu à cette question, répliqua-t-elle calmement. Tu devrais faire contrôler ton audition. Quel âge as-tu, maintenant ? Quarante, quarante-deux ans ?

— Trente-cinq, tu le sais très bien.

— Pardonne-moi si j'ai été trop occupée pour me rappeler ce genre de détail, riposta-t-elle, irritée par l'arrogance avec laquelle son interlocuteur partait du principe qu'elle savait tout de lui.

— C'est vrai, il paraît que tu as fait le tour du monde avec ton sac à dos.

Soulagée de revenir à un sujet de conversation familier, Gaylynn se détendit légèrement.

— J'ai profité de chaque semaine de vacances scolaires pour voyager, confirma-t-elle. J'ai découvert et fait des choses merveilleuses : des promenades à dos d'éléphant en Thaïlande, une méharée dans le Grand Sud marocain, du shopping à Singapour, un trekking au Népal…

Hunter avait remarqué qu'elle parlait au passé.

— Tu ne le fais plus ?

— Je préfère rester près de chez moi.

— Pourquoi ?

Gaylynn haussa les épaules. Elle n'allait pas avouer que, maintenant, elle avait peur de voyager seule.

— Je n'ai pas des ressources financières illimitées. Et puis, il y a plein d'endroits magnifiques à voir aux Etats-Unis. Par exemple, les Blue Ridge Mountains.

— Tu devrais suivre la route panoramique, la Blue Ridge Parkway. Si tu veux, proposa Hunter, nous pouvons prévoir une petite promenade ce week-end. Je suis de congé et…

— Je n'ai pas envie de prendre ma voiture, s'empressa de couper Gaylynn. Je vois très bien les montagnes de ma fenêtre.

— La vue est encore plus belle de la route. Je conduirai, si tu veux.

— Je suis bien ici.

— Si je ne te connaissais pas, je dirais que tu te terres dans ton trou.

C'était exactement ce que Gaylynn avait l'intention de faire, et elle n'allait pas laisser Hunter contrarier ses projets, même si elle le trouvait terriblement séduisant avec ses cheveux grisonnants aux tempes et son regard émeraude inquisiteur qui le faisait ressembler à un fauve guettant sa proie.

Comprenant que la provocation ne le mènerait à rien, Hunter opta pour une autre tactique.

— Tu ne m'as pas parlé de Dylan.

— Il est venu au mariage de Michael, entre deux avions.

Si le frère cadet de Gaylynn n'avait pas dû repartir dès le lendemain de la cérémonie, elle se serait peut-être attardée à Chicago pour profiter de sa compagnie car ils ne s'étaient pas vus depuis un an.

— A-t-il la bougeotte lui aussi ?

— Il sillonne l'ouest des Etats-Unis en faisant des rodéos. Il a remporté de nombreux concours.

Espérant éviter d'autres questions indiscrètes, Gaylynn enchaîna :

— Sais-tu que Michael et Brett ont adopté une petite fille ? Elle est adorable et très éveillée. Je suis sa tante préférée.

Hunter se mit à rire.

— C'est elle qui te l'a dit ?

— Elle a tout juste neuf mois, elle ne parle pas encore. Mais elle va bientôt marcher. J'ai une photo...

Gaylynn alla prendre un album dans son sac à main.

— Hope n'est-elle pas la plus jolie petite fille du monde ? demanda-t-elle avec un sourire attendri.

Hunter hocha la tête.

— Tu as toujours adoré les enfants. Comment se fait-il que tu n'en aies pas à toi ?

— Je peux te retourner la question.

— Le métier de policier est difficilement compatible avec la vie de famille. J'ai quitté Chicago parce que ma femme, Tricia, ne supportait pas mes horaires à rallonge. En m'installant ici, je pensais qu'elle serait moins tendue, parce qu'il y a moins de danger à exercer le métier de policier dans une zone rurale que dans une grande métropole.

— Mais il y en a quand même, murmura Gaylynn.

Hunter haussa les épaules.

— Ce n'est pas le danger qui a coulé mon mariage. Mon ex-femme détestait vivre dans ce qu'elle appelait un trou perdu. Aux dernières nouvelles, elle est retournée à Chicago et elle a épousé un plombier.

— Tu n'as jamais eu très bon goût en ce qui concerne les femmes, soupira Gaylynn. Je me souviens qu'au lycée tu sortais avec une bimbo blonde, Sindy, avec un S.

— Je ne la fréquentais pas pour son orthographe.

— C'était évident.

Hunter secoua la tête.

— Je m'étonne que tu te souviennes encore d'elle.

— C'est surtout son tour de poitrine qui m'a marquée. A l'époque, j'étais persuadée qu'elle rembourrait son soutien-gorge.

Après une courte pause, Gaylynn reprit.

— On dirait que tu n'as pas beaucoup de souvenirs du bon vieux temps.

— Je ne t'ai pas oubliée.

— C'est vrai, j'ai gardé précieusement toutes tes lettres, ironisa Gaylynn.

Hunter eut un sourire crispé.

— Je ne suis pas doué pour ce genre de chose.

Gaylynn ne s'était pas attendue à avoir de ses nouvelles alors qu'il était marié. D'ailleurs, elle n'avait pas voulu en avoir, elle avait même tout fait pour l'oublier. Elle y était parvenue.

Plus ou moins.

D'accord, concéda-t-elle en silence, une toute petite partie de son cœur s'était peut-être obstinée à comparer à Hunter tous les hommes qu'elle côtoyait. Cependant, elle n'avait pas été malheureuse, loin de là.

Jusqu'à ce que sa vie tranquille s'écroule comme un château de cartes.

Une soudaine envie de bâiller dissipa ses sombres pensées.

— Il vaut mieux que je parte et que je te laisse dormir, remarqua Hunter.

— Désolé, s'excusa-t-elle. Ce n'est pas que tu m'ennuies. Je suis juste fatiguée. La route était longue.

— Ne t'inquiète pas. Je comprends.

— Merci d'être passé me voir. Mais, à l'avenir, ne te donne pas cette peine, j'irai très bien.

— Je sais.

Hunter ne se faisait aucun souci : il avait simplement la ferme intention de veiller personnellement sur Gaylynn. Que ça lui plaise ou pas.

Cette nuit-là, Gaylynn rêva qu'elle portait une longue cape rouge et qu'elle ouvrait la porte du chalet à un loup aux yeux émeraude. Elle s'éveilla au petit matin, juste au moment où le loup s'installait dans son lit et la convainquait de s'étendre près de lui.

— C'était vraiment un rêve, marmonna-t-elle en se levant.

Hunter et elle ne partageraient jamais le même lit, sauf bien sûr si elle était malade. Mais, dans ce cas, les intentions d'Hunter seraient purement charitables et pratiques, il voudrait juste lui tenir chaud.

Entièrement réveillée après une longue douche tiède, elle décida d'aller voir si ses protégés à quatre pattes étaient toujours dans les parages. Comme il faisait frais, elle enfila un pull vert amande et un pantalon noir. Son jean de la veille était immettable car taché d'herbe et de terre aux genoux. Quand elle descendrait faire ses courses, elle essaierait de trouver un pressing où le faire nettoyer, se promit-elle.

A son grand soulagement, les chats sortirent du bois dès qu'elle les appela. Tandis qu'ils dévoraient sa dernière boîte de thon, elle établit soigneusement la liste des provisions qu'elle devait acheter, pour ne pas avoir à retourner en ville avant au moins une semaine. Non pas qu'elle eût peur de la route escarpée et sinueuse, ou de traverser le pont étroit qui enjambait la Bitty River. Simplement, elle n'avait aucune envie de se mêler à la civilisation plus souvent que nécessaire.

Lorsqu'elle arrêta sa voiture devant le bâtiment qui abritait « La station Twitty, qui fait le plein de votre voiture et de votre garde-manger », elle réalisa cependant qu'elle était loin de la civilisation.

Le poste à essence semblait tout droit sorti d'un film des années quarante, avec son unique pompe surmontée d'un cadran de verre rond et son panneau publicitaire de bois — lequel vantait les vertus d'une huile de vidange qui n'existait plus depuis au moins un quart de siècle.

Etendu de tout son long sur le seuil de l'épicerie, un gros animal de couleur rousse formait un paillasson bosselé. Après un examen méfiant, Gaylynn conclut qu'il s'agissait d'un chien de chasse.

— Bo Regard ne mord pas et moi non plus, déclara une voix masculine. Enjambez-le, il est tellement paresseux qu'il ne s'en apercevra même pas.

Quand Gaylynn s'exécuta non sans quelque réticence, le chien se contenta de soulever la tête, puis, comme si cet effort l'avait épuisé, il la laissa retomber avec un bruit sourd.

— Votre chien semble très gentil, commenta Gaylynn.

— Il n'est pas à nous, précisa un homme d'une soixantaine d'années qui venait du fond du magasin. Mais il vient chaque jour, sans doute pour profiter de ma conversation passionnante.

Après l'avoir toisée des pieds à la tête, il ajouta :

— Vous êtes bien jolie. Vous regarder guérit mes pauvres yeux fatigués.

Habituée à l'indifférence hautaine des commerçants des grandes villes, Gaylynn fut prise de court par ce compliment et balbutia :

— Pardon ?

— Ne faites pas attention à lui, intervint une femme assise derrière le long comptoir au plateau de formica. Il dit ça à toutes les femmes de moins de cent ans.

Avec un sourire amical, elle se présenta.

— Je suis Betsie Twitty. Et ce vieux bavard est mon époux, Floyd. Vous êtes la sœur de l'ami d'Hunter, celle qui vient du nord, n'est-ce pas ?

Gaylynn ne cacha pas sa surprise. Comment Betsie pouvait-elle déjà savoir qui elle était ?

— Je viens de Chicago, confirma-t-elle néanmoins.

Une grimace accentua les rides qui parcheminaient le visage de la vieille femme.

— Je déteste les grandes villes.

— Tu n'as jamais mis les pieds dans une seule grande ville, grommela Floyd.

— Je suis allée une fois à Knoxville. Et je n'ai pas aimé du tout.

Betsie reporta son attention sur sa cliente.

— Nous faisons aussi bureau de poste, informa-t-elle. J'espère que vous ne voulez pas des timbres. Je n'en ai plus.

— Ma Battle a acheté les derniers il y a deux jours, raconta Floyd. Elle a encore participé à un concours de mots croisés.

— A elle seule, elle envoie plus de courrier que tous les habitants de la ville en un an, raconta Betsie. Alors, combien de timbres vous fallait-il… ?

Haussant un sourcil interrogateur, elle demanda :

— Je n'ai pas saisi votre nom.

— Gaylynn. Rassurez-vous, je n'ai pas besoin de timbres.

— Vous vouliez faire le plein d'essence, peut-être ?

— Je suis venue chercher des provisions.

— D'ordinaire, ceux qui ont une voiture font leur marché à Summerville, informa Floyd.

— C'est loin ? s'enquit Gaylynn.

— Environ quarante-cinq minutes.

— Une heure, avec les nouvelles limitations de vitesse, précisa Betsie.

— Je conduisais bien avant qu'ils instaurent ces stupides limitations, bougonna Floyd. Je connais la route comme le dos de ma main.

— Je n'ai pas envie d'aller si loin, décida Gaylynn. Je prendrai ce qu'il me faut chez vous.

— Nous n'avons pas beaucoup de choix, l'avertit Betsie d'un ton d'excuse.

— Nous avons un peu de tout, ajouta Floyd.

— Pas ces plats cuisinés que l'on montre à la télévision.

— Mais nous avons des tas de sortes de glaces.

Soutenir une conversation avec Betsie et Floyd était comme assister à un match de tennis, à part que les mots remplaçaient la balle. Gaylynn en avait le torticolis.

— Avez-vous du thon en boîte ? Et de la nourriture pour chat ? demanda-t-elle.

— Vous devriez en trouver sur les étagères. Vous êtes venue avec votre chat ?

— En fait, j'ai trouvé une maman chat et ses deux petits. Savez-vous si quelqu'un a perdu ses chats ?

— Je n'en ai pas entendu parler, répondit Betsie. Ce doit être des animaux errants.

« Comme moi depuis mon agression », pensa tristement Gaylynn.

Après avoir déposé sur le comptoir des aliments qu'elle n'avait pas mangés depuis des années — y compris des flocons d'avoine à faire cuire au lieu d'une barquette à passer au micro-ondes, du pain frais et de la confiture de fraise faite maison —, elle prit tout le thon et la nourriture pour chat qu'elle trouva dans les rayons, puis elle rangea le tout dans le grand cabas qu'elle avait eu la prévoyance d'apporter.

Pour regagner sa voiture, elle dut de nouveau enjamber Bo Regard. Cette fois, le chien souleva la tête de cinq bons centimètres avant de se recoucher en bâillant.

Tout en rangeant ses courses dans le coffre de sa berline, Gaylynn entendit une rivière chanter tout près. Elle se souvint alors que Lonesome Gap était bâtie sur une langue de terre coincée entre la route nationale et la Bitty River, au pied des montagnes.

Dès son retour au chalet, elle nourrit les chats, posant cette fois leur bol de croquettes au milieu de la cour. Si

Froussard garda prudemment ses distances, Bleuet finit par se laisser caresser le dos quelques secondes. Gaylynn sourit, se rappelant qu'Hunter avait eu les mêmes gestes apaisants pour elle la veille.

Résolue à ne plus penser à celui qui avait le pouvoir de la bouleverser d'un sourire, elle s'assit sous la véranda et regarda les chats jouer avec des feuilles mortes poussées par la brise printanière. Puis, elle prit un stylo et commença à crayonner sur le dos de la facture que lui avait remise Floyd Twitty quand elle avait réglé ses achats.

A son grand étonnement, elle s'aperçut quelques minutes plus tard qu'elle avait très bien reproduit le bois et les montagnes entourant le chalet.

Etrange, songea-t-elle en mordillant le bout du stylo. Jusque-là, elle n'avait jamais été capable de dessiner seulement un bonhomme. Ses capacités artistiques étaient si limitées qu'elle aurait fait rire un enfant de maternelle. Quant à ses élèves…

Elle réalisa soudain que certains aspects de son travail lui manquaient. La joie qui illuminait le regard des enfants quand ils comprenaient une nouvelle notion de mathématique. Pour la première fois depuis des semaines, l'idée de se retrouver face à une trentaine d'élèves ne l'emplissait pas de panique. Certes, elle ne se sentait pas encore prête à regagner Chicago, mais, apparemment, la vue des montagnes majestueuses et sereines avait un effet lénifiant sur ses nerfs ébranlés.

A moins que ce ne fût le regard chaleureux d'Hunter. Passerait-il chez elle ce soir ? « Demain, c'est ton tour de cuisiner », avait-il déclaré. Certes, elle lui avait recommandé de ne pas prendre la peine de revenir la voir, mais elle avait senti qu'il ne l'écoutait même pas.

Déjà, le soleil entamait sa lente descente derrière les cimes des montagnes. Des traînées orangées enflammaient l'horizon. La voiture d'Hunter n'allait pas tarder à paraître sur le sentier.

A sa grande déception, Gaylynn n'eut pas l'occasion de partager le ragoût de bœuf qu'elle avait pris la peine de préparer. Hunter ne rentra pas dormir chez lui. Du moins, elle n'avait toujours pas entendu sa voiture passer quand elle s'endormit enfin vers 4 heures du matin.

Vers midi le lendemain, elle décida de profiter du soleil radieux pour faire une petite promenade. Ses pas la conduisirent jusqu'au chalet de son voisin, identique à celui de son frère, mais avec en plus une cheminée sur le côté droit.

La voiture d'Hunter n'était pas dans la cour, les volets étaient fermés, constata-t-elle alors que des questions angoissantes se pressaient dans son esprit. Hunter avait-il eu des problèmes à son travail ? Allait-il bien ? Certes, Lonesome Gap n'était pas Chicago, les balles perdues ne devaient pas y être monnaie courante. Mais quand même...

Elle tremblait comme une feuille quand elle rentra chez elle et ouvrit une boîte de thon pour les chats. Comment saurait-elle si Hunter avait eu un accident ? Elle ne lui avait pas donné son numéro de portable. Qui songerait à la prévenir en cas de... ?

« Arrête ! s'ordonna-t-elle sévèrement. Hunter va bien. Il ne lui est rien arrivé. Quelle peureuse tu fais ! Un vrai bébé. »

Que dirait Hunter s'il savait qu'elle avait peur de son ombre ? Il était si fort, si courageux. Il la mépriserait, cela ne faisait aucun doute.

Gaylynn sortait de la douche quand on frappa à la porte d'entrée.

— C'est moi, cria Hunter.

Au comble du soulagement, elle enfila à la hâte sa vieille robe de chambre et courut ouvrir. Son cœur fit un bond quand elle vit Hunter beau et viril à couper le souffle dans son uniforme de policier.

Sa chemise bleu ciel était tendue sur ses larges épaules, son pantalon noir auquel étaient accrochés une paire de menottes, une lampe torche et un étui de pistolet accentuait la longueur de ses jambes.

— Je suis désolé de t'avoir fait faux bond hier soir, s'excusa-t-il.

— Nous n'étions pas vraiment convenus de dîner ensemble, précisa Gaylynn. C'est toi qui avais décrété que tu viendrais manger.

Remarquant les rides de fatigue qui encadraient les lèvres fermes et sensuelles de son interlocuteur et les cernes sous ses beaux yeux verts, elle demanda :

— Que s'est-il passé ? As-tu eu des problèmes à ton travail ?

— J'ai eu une nuit mouvementée, soupira Hunter en la suivant dans le salon. Un ivrogne a pris l'autoroute à contresens et est entré en collision avec un semi-remorque rempli d'engrais. Des témoins ont prévenu mon adjoint qui s'est rendu sur les lieux et a fini avec une balle dans le pied.

Elle ouvrit des yeux horrifiés.

— On lui a tiré dessus ?

Elle s'était lourdement trompée. Ce genre de drame arrivait même dans une petite bourgade comme Lonesome Gap.

— Il survivra, la rassura Hunter en se laissant tomber sur le canapé.

— Tu n'as pas l'air de le plaindre.

— Etant donné que j'ai assuré sa garde de nuit après ma journée de travail, je ne me sens pas d'humeur charitable.

— Ce n'est tout de même pas sa faute s'il est blessé, s'apitoya Gaylynn. As-tu arrêté le responsable ?

— J'étais très tenté de le faire. Malheureusement, la stupidité n'est ni un délit ni un crime.

— Tu as laissé le chauffard ivre partir ?

— Non, bien sûr. Il a été transféré à la prison du comté.

— Mais tu viens de dire…

— Le sergent Carberry s'est blessé tout seul, expliqua Hunter d'une voix tremblant d'irritation. Il a trébuché alors qu'il sortait son arme de service et le coup est parti.

Il leva les yeux au ciel.

— Quand je suis arrivé, il saignait comme un bœuf et criait qu'il allait mourir, mais, en fait, sa blessure était beaucoup moins grave qu'elle n'en avait l'air.

Il saignait… Gaylynn blêmit et fut saisie de nausées.

— Tu n'as pas l'air dans ton assiette, commenta Hunter. Tu ne vas pas t'évanouir, dis ?

Gentiment, il passa un bras autour des épaules de la jeune femme et l'attira contre lui.

Sentir la chaleur de son torse suffit à éveiller le désir de Gaylynn. Ce fut comme si de la lave se déversait dans ses veines.

46

« Assez ! » se réprimanda-t-elle vertement, furieuse d'être de nouveau la proie d'émotions venues de l'adolescence.

— Mais tu trembles comme une feuille, s'étonna Hunter.

Plongeant son regard scrutateur dans le sien, il demanda :

— Ta réaction a-t-elle quelque chose à voir avec ce qui t'est arrivé ?

— Il ne m'est rien arrivé.

— Arrête de mentir ! Tôt ou tard, je t'arracherai la vérité.

Au comble de l'indignation, Gaylynn tenta d'échapper à son étreinte et s'écria :

— De quel droit oses-tu… ?

Mais sa voix mourut alors qu'Hunter prenait ses lèvres.

4.

Hunter réduisit Gaylynn au silence de la seule manière qui lui venait à l'esprit. Cependant, dès qu'il effleura ses lèvres soyeuses, il se perdit dans un tumulte d'émotions. Le désir explosa dans ses veines.

Gaylynn ne songea même pas à lui résister. Submergée par des sensations exquises, elle s'abandonna. Soudain elle se sentait délicieusement vivante, elle redevenait elle-même, Hunter lui communiquait sa force et sa vitalité.

Puis tout fut fini. Hunter se redressa et la repoussa à bout de bras. Elle cligna des yeux, l'esprit entièrement vide, les sens en tumulte, le cœur battant la chamade.

— Pourquoi as-tu fait ça ? demanda-t-elle d'une voix à peine audible.

Elle voulait protester contre l'interruption brutale de leur baiser. Hunter crut qu'elle lui reprochait de l'avoir embrassée et, dans un sursaut d'orgueil, elle s'abstint de le détromper.

— Ce n'était pas prévu, marmonna-t-il en passant une main dans ses cheveux. J'ai voulu… te donner une leçon.

— Je vois.

Alarmé par les éclairs glacés qui jaillissaient des yeux de sa compagne, il tenta de s'expliquer :

— J'essayais juste de t'inciter à me confier ce qui te tracasse.

La colère de Gaylynn redoubla. Ainsi, il avait pensé endormir sa méfiance en suscitant sa passion, pour lui extorquer des aveux. Leur baiser pasionné n'avait été qu'un stratagème, une comédie. Eh bien, il pouvait s'estimer satisfait. Il avait appris qu'il l'attirait.

— Tes méthodes d'interrogatoires sont inqualifiables ! s'écria-t-elle en resserrant la ceinture de son peignoir.

Comme Hunter lui tendait une main apaisante, elle lança vivement :

— Reste loin de moi !

— Parle-moi, Gaylynn. Tu peux me faire confiance.

— C'est ce que je viens de voir.

La consternation qui se peignit sur le visage d'Hunter bouleversa la jeune femme au point qu'elle en oublia instantanément son ressentiment et sa colère. S'apercevant combien elle devait lutter pour ne pas lui caresser tendrement la joue, elle mesura son impuissance à combattre son attirance pour lui.

S'il avait reparu dans sa vie immédiatement quand elle avait ouvert le coffret magique, elle aurait pu imputer à la magie tzigane la fascination qu'il exerçait sur elle et la ferveur avec laquelle elle avait répondu à son baiser. Les choses étant ce qu'elles étaient, elle n'avait aucune excuse, force lui était d'assumer l'entière responsabilité de sa conduite et d'en tirer une leçon.

Pour commencer, elle devait prendre ses distances et ne plus s'exposer à son charme envoûtant. Donc elle devait se débrouiller pour ne plus le voir.

Si elle apaisait sa curiosité, il la laisserait peut-être tranquille et, en tout cas, il n'essaierait plus de lui arracher des aveux en l'embrassant.

Cependant, réfléchit-elle fébrilement, Hunter n'était pas du genre à tourner le dos à une personne en difficulté. S'il apprenait combien elle était devenue faible et peureuse, sa générosité naturelle l'emporterait sans doute sur son mépris. Dans ce cas, il redoublerait de prévenance et de gentillesse envers elle et elle aurait encore plus de mal à lutter contre les sentiments dangereux qu'il lui inspirait.

Que devait-elle faire ? Tout lui raconter et risquer de lire l'apitoiement dans son regard ou continuer à se taire et s'exposer à des interrogatoires de plus en plus serrés ? A d'autres baisers excitants...

Gaylynn se mordit la lèvre, partagée entre son instinct qui lui conseillait de dire la vérité et son orgueil qui lui commandait de ne pas avouer sa faiblesse.

Devinant son dilemme, Hunter lui prit la main et la serra tendrement.

— Tu peux tout me dire, Gaylynn, tu le sais bien.

— Me promets-tu de ne rien répéter à Michael ou à mes parents ?

Voyant qu'il s'apprêtait à protester, la jeune femme retira sa main et darda sur lui un regard menaçant.

— Promets !

Il soupira longuement.

— D'accord. Je promets.

— C'est juste...

Au comble de la nervosité, elle prit une inspiration tremblante :

— Un incident s'est produit à mon lycée il y a un mois. J'ai été agressée par un de mes anciens élèves. C'était ma faute....

— Ta faute si tu as été brutalisée ?

50

Saisi de colère contre celui qui avait osé s'en prendre à Gaylynn, Hunter serra les poings.

— J'étais restée travailler tard, expliqua-t-elle. C'était idiot de ma part. Quand on enseigne dans une zone sensible, on respecte des mesures élémentaires de prudence.

— As-tu été blessée ? demanda Hunter d'une voix blanche.

Instinctivement, elle effleura la cicatrice à la base de son cou.

— Rien de grave. Il avait mis un couteau sur ma gorge... je lui ai donné tout l'argent que j'avais sur moi et il est parti.

Le visage blême, Gaylynn se força à poursuivre :

— Je l'avais reconnu. J'ai porté plainte.

— Comment se fait-il que Michael ne soit pas au courant ? s'étonna Hunter. Tous nos anciens camarades de promotion sont dans la police de Chicago.

— Je leur ai fait promettre de garder le secret. Il avait assez de problèmes à l'époque sans devoir en plus s'occuper de moi.

— Il faut bien que quelqu'un le fasse, marmonna Hunter.

Croisant le regard noir de son interlocutrice, il leva les mains en un geste apaisant.

— D'accord, tu es une grande fille. Excuse-moi, je ne t'interromprai plus. Ont-ils arrêté ce voyou ?

— Il... il est mort.

Les yeux noyés de larmes, Gaylynn expliqua d'une voix hachée :

— Il fuyait les policiers... il a été renversé par un bus... il est mort sur le coup.

Elle se mit à trembler de tous ses membres alors que les images qui hantaient ses nuits revenaient l'assaillir.

Le sang sur la chaussée, le corps de Duane enveloppé dans un linceul…

— Tu as affronté ça toute seule ? demanda Hunter, incrédule.

— Quand je me suis rendu compte que je n'arrivais plus à assurer mes cours, j'ai consulté la psychologue du collège. Elle a affirmé que ma réaction était normale et que j'avais juste besoin de temps et de calme pour me remettre.

— C'est pour ça que tu es ici ?

Gaylynn hocha la tête.

— C'était idiot de penser que tu pourrais surmonter un tel traumatisme toute seule, déclara Hunter qui avait souvent conseillé des victimes d'agression quand il était en poste à Chicago. Tu aurais dû te confier à ta famille, à des amis.

Son attitude de grand frère réprobateur fit frémir Gaylynn d'irritation.

— Ma colocataire à Chicago est au courant, l'informa-t-elle sèchement. J'ai bien été obligée de lui expliquer pourquoi je m'absentais pour tout le reste de l'année scolaire.

Levant le menton, elle ajouta :

— Je contrôlais très bien la situation jusqu'à ce que tu t'en mêles.

« Et que tu m'embrasses à me faire perdre la tête », ajouta-t-elle *in petto*.

— J'enseigne depuis sept ans, reprit-elle à voix haute. J'avais besoin de prendre du recul. On dirait que le destin a bien fait les choses.

Plongeant son regard pénétrant dans le sien, Hunter demanda lentement :

— Tu ne te sens pas responsable de la mort de ce garçon, j'espère ?

— Qu'est-ce qui te fait dire ça ?

— Je te connais.

— Pas autant que tu le crois.

— Assez pour savoir que tu t'investis trop dans ton travail. Dans ses cartes de vœux, Michael se plaignait toujours que tu faisais trop d'heures supplémentaires, que tu payais de ta poche le matériel qui manquait à certains de tes élèves, que tu te mettais en quatre pour que les enfants de ta classe se sentent importants.

— Ils le sont, déclara Gaylynn avec force. Ils sont notre avenir, notre espoir d'un monde meilleur.

Le visage grave, elle poursuivit :

— Pour répondre à ta question, je sais que, strictement parlant, je ne suis pas responsable de la mort de Duane.

Du point de vue émotionnel, c'était autre chose. Mais elle n'était pas prête à avouer à Hunter qu'elle était dévorée par la culpabilité. Certes, les policiers lui avaient affirmé que, si elle n'avait pas porté plainte contre Duane, quelqu'un d'autre l'aurait fait tôt ou tard, parce qu'il n'en était pas à son premier méfait. Mais, au fond de son cœur, elle restait convaincue que, si elle s'était montrée moins imprudente, si elle ne s'était pas attardée au lycée, son ancien élève serait encore en vie.

— Je regrette juste de n'avoir pas pu l'empêcher, confia-t-elle tristement.

Ça au moins, c'était vrai.

— Mais je suis coriace, ajouta-t-elle en forçant une note optimiste dans sa voix. Je serai de retour au collège très bientôt, tu verras.

En son for intérieur, elle en doutait sérieusement. Mais elle ne voulait pas qu'Hunter continuât de s'inquiéter pour elle.

— Je vais profiter de mes vacances pour me détendre et admirer la beauté des montagnes. Et peut-être faire du dessin.

Hunter haussa les sourcils.

— J'ignorais que tu aimais dessiner.

— Moi aussi, dit-elle avec un léger sourire. Je n'ai jamais su tenir un crayon avant. Mais il y a tant de belles choses par ici que je suis inspirée.

— Je te comprends, acquiesça Hunter en l'enveloppant d'un regard chaleureux qui la fit fondre d'émotion.

Elle tenta de se reprendre. Elle n'était pas elle-même en ce moment. Elle avait les nerfs à fleur de peau et elle était vulnérable, physiquement et émotionnellement. C'était sans doute pour cela qu'elle était si sensible au charme d'Hunter.

— Comme tu vois, je ne suis plus la fonceuse de la famille, reconnut-elle avec amertume.

Dans un chuchotement, elle avoua aussi bien pour Hunter que pour elle-même :

— En fait, je ne sais plus vraiment qui je suis.

Hunter, lui, le savait. Elle était une femme exceptionnelle. Cependant, il avait perçu la vulnérabilité qu'elle s'efforçait de lui cacher, sa peur sous-jacente que toutes les assurances du monde ne parviendraient pas à apaiser. Il devait donc se contenter de lui montrer combien elle était spéciale et précieuse.

Lui-même venait juste de découvrir à quel point elle l'était. Il ne pouvait plus se mentir, prétendre qu'il voulait l'aider uniquement parce qu'elle était la sœur de Michael. Le désir qui avait flamboyé en lui dès qu'il avait effleuré les lèvres de Gaylynn lui avait appris que ses sentiments étaient tout sauf chastes. Quoi qu'il éprouvât pour elle, ce n'était pas de l'amitié.

Il était très tenté d'approfondir cette attirance magique, de voir où elle pourrait les conduire. Mais sa raison le lui interdit catégoriquement, lui répétant qu'il ne pouvait rien y avoir entre eux.

Gaylynn avait grandi dans une grande ville, elle avait parcouru le monde et visité des endroits exotiques et excitants. Lorsqu'elle serait remise — car elle allait se remettre, il y veillerait —, lorsqu'elle serait redevenue la femme pragmatique et sûre d'elle qu'elle était, elle regagnerait Chicago et reprendrait le cours normal de sa vie.

De son côté, depuis l'échec de son mariage, il limitait soigneusement ses relations avec le sexe faible, se contentant de brèves aventures sans engagement de part et d'autre.

Gaylynn méritait mieux qu'une liaison sans lendemain. En conséquence, il n'avait pas le choix. Il devait ignorer les sentiments qu'elle lui inspirait et se contenter de l'aider à reprendre goût à la vie.

Pour commencer, il allait l'amener à sortir de son isolement.

Durant deux semaines, il tenta de mettre ses projets à exécution. Mais il eut beau user alternativement de cajoleries, de sermons, de taquineries, rien n'y fit. Gaylynn refusa obstinément de quitter le chalet de son frère. Chaque fois, elle lui opposa une fin de non-recevoir, ou elle lui tapota la main et le renvoya d'où il venait en affirmant qu'elle était très bien chez elle et se portait comme un charme.

Effectivement, elle semblait aller mieux. Elle riait plus souvent, elle ne sursautait plus comme une biche aux abois au moindre bruit insolite. Cependant, son regard n'avait pas recouvré sa joie de vivre et sa malice.

N'étant pas homme à renoncer, Hunter passa au plan B. Ou plutôt M ou N. A force de lancer des offensives, il avait perdu le compte.

Ce jour-là, Gaylynn lui ouvrit la porte, vêtue d'un jean délavé moulant et d'un débardeur de coton pêche qui mettait en valeur sa gorge et ses bras dorés par le soleil.

En la voyant si belle, si fraîche et naturelle, Hunter sentit son cœur faire un triple salto. Un long frisson le parcourut tout entier.

— Quelque chose ne va pas ? s'enquit Gaylynn comme il concluait une fois de plus que ses sentiments pour elle n'avaient vraiment rien d'amical. Tu as l'air catastrophé. Puis-je faire quelque chose pour toi ?

Hunter avait certes beaucoup d'idées, cependant aucune n'était avouable.

— Hunter ?

— Eh bien... il fait beau aujourd'hui, tu ne trouves pas ?

Gaylynn le considéra avec ironie.

— Tu es venu jusqu'ici pour me parler du temps ?

— Je suis passé parce que nous avions rendez-vous. Sais-tu quel jour nous sommes ?

— Bien sûr. Nous sommes... nous sommes...

Après quelques secondes de réflexion, la jeune femme claqua des doigts.

— Le 1er avril.

— Exactement, confirma Hunter.

— Je vais devoir te surveiller de près pour que tu ne fasses pas mon lit en portefeuille.

Un lit… Gaylynn… l'association de ces deux idées fit défiler des images licencieuses sur l'écran panoramique de l'esprit d'Hunter.

— Michael, Dylan et toi me jouiez des vilains tours chaque année, se souvint Gaylynn en riant. Une fois, vous avez mis du colorant dans mon démaquillant. Maman a failli avoir une attaque quand je suis sortie de la salle de bains.

Hunter s'efforça de remettre de l'ordre dans ses idées.

— Que dirais-tu d'une petite promenade sur la Blue Ridge Parkway ?

Gaylynn secoua la tête.

— Comme hier et avant-hier et les jours précédents, ma réponse est non.

— Puisque tu ne veux pas prendre la voiture, nous allons marcher. Suis-moi.

D'un geste résolu, Hunter la prit par la main et l'entraîna dans la cour.

— Tu ne veux tout de même pas aller à pied jusqu'en Virginie ? protesta-t-elle.

Tout en la guidant vers le bois, Hunter soupira à fendre l'âme.

— Dire que tu étais si confiante !

— J'ai changé le jour où Michael et toi avez retiré la corde qui permettait de descendre de votre cabane. A cause de vous, j'ai passé la nuit dans l'arbre.

A son grand étonnement, Gaylynn s'aperçut qu'elle n'avait même pas songé à mentionner son agression pour justifier sa méfiance. Elle avait bien fait de venir à Lonesome Gap, se félicita-t-elle. La caresse du soleil radieux sur sa peau, la douceur de l'air, la chanson des oiseaux dans les arbres, tout contribuait à lui mettre du baume au cœur et à la faire se sentir heureuse de vivre.

— Où m'emmènes-tu ? demanda-t-elle avec curiosité.

— Je veux te montrer quelque chose.

Hunter n'avait pas lâché sa main. Sans plus protester, elle enlaça leurs doigts et le suivit sur le sentier qui serpentait dans le sous-bois, savourant ce moment d'intimité complice qui la touchait au cœur et à l'âme.

— Les habitants de la vallée affirment que, au printemps, la nature présente autant de nuances de vert qu'il y a de mots dans le dictionnaire, dit Hunter.

— Ils ont raison, murmura Gaylynn en regardant autour d'elle avec émerveillement.

Comme ils n'étaient pas encore parés de leur luxuriant feuillage d'été, les arbres laissaient abondamment passer la lumière du soleil, permettant aux fleurs sauvages de s'épanouir.

Partout sur le sentier et dans le sous-bois, des anémones, des violettes, des pervenches et quantité d'autres fleurs que Gaylynn ne connaissait pas s'épanouissaient, formant une multitude de minuscules taches multicolores.

— Quelle est cette jolie fleur ? voulut-elle savoir.

Après un bref regard, son compagnon lui sourit par-dessus son épaule.

— C'est un *trilium erectum*.

Elle leva les yeux au ciel.

— Pourquoi ne pas avouer ton ignorance au lieu d'inventer ce genre de bêtise ?

— Je ne plaisante pas. C'est un *trilium erectum*.

— Bien sûr, ironisa-t-elle. Et la fleur blanche à côté est un *trilium orgasmus*, c'est ça ?

Voyant le sourire d'Hunter s'élargir, elle se hâta de le bâillonner de sa main libre.

— Peu importe. Ne dis plus rien.

Secouant la tête, elle maugréa :

— *Trilium erectum*, et puis quoi encore ?

— Y a-t-il une autre fleur qui t'intéresse ? demanda Hunter d'un air angélique lorsqu'elle laissa retomber sa main.

— J'aurais dû savoir qu'il était inutile de te demander quoi que ce soit un 1er avril.

— Je suis on ne peut plus sérieux. Regarde dans n'importe quelle encyclopédie, tu verras. C'est bien un *trilium erectum*.

— Depuis quand es-tu un expert en botanique ?

— Depuis que j'ai découvert le nom de cette fleur. Il fait toujours une forte impression sur les femmes.

— Maintenant, je sais pourquoi les mères mettent leur fille en garde contre les hommes qui veulent les emmener promener dans les bois, marmonna Gaylynn.

— Tu as peur ? Tu veux rentrer ?

La lueur de défi contenue dans le regard d'Hunter était irrésistible. Gaylynn le poussa d'une bourrade dans l'épaule.

— Avance !

Après une vingtaine de minutes cependant, elle était à bout de souffle. Sa vie de citadine ne l'avait pas préparée à une longue marche sur un sentier pentu.

— Temps mort, haleta-t-elle.

— Encore quelques mètres et tu seras récompensée de tes efforts, l'encouragea Hunter.

— Je n'en peux plus.

— Quand les choses deviennent difficiles, ce n'est pas le moment de faire demi-tour. Il faut persévérer, regarder devant.

— J'aimerais bien, mais tu me bouches la vue, repartit Gaylynn.

En fait, elle adorait contempler les épaules athlétiques et les hanches étroites de son compagnon, admirer sa démarche assurée. La vue valait effectivement le déplacement, admit-elle en son for intérieur.

Hunter se méprit sur son léger sourire.

— C'est beau, n'est-ce pas ?

— Magnifique, murmura-t-elle avant de regarder distraitement autour d'elle.

— J'ai toujours pensé que l'altitude change la perception d'un homme, dit Hunter.

— C'est vrai, acquiesça-t-elle, fascinée malgré elle par la beauté majestueuse du paysage.

A leurs pieds s'étendait une vallée verdoyante au milieu de laquelle serpentait une rivière aux eaux étincelantes. Devant eux, les Blue Ridge Mountains se superposaient à l'infini en déclinant l'incroyable variété de nuances bleutées qui leur avait valu leur nom.

— Selon une légende cherokee, ces montagnes ont été créées par un aigle, confia Hunter.

— Raconte-la moi, demanda Gaylynn.

Il s'exécuta de bonne grâce.

— Il y a très, très longtemps, cette région était une immense plaine détrempée par des mois de pluie incessante. Un jour, un aigle épuisé par un long voyage s'est mis à voler trop bas. A chaque battement d'ailes, il a creusé une vallée et une montagne est née.

— Depuis, ces montagnes ont assisté à de nombreux drames, murmura Gaylynn en se remémorant ses cours d'histoire. Les Cherokees vivaient ici depuis mille ans quand Andrew Jackson, nouvellement élu président, a décrété qu'ils gênaient les chercheurs d'or et les a contraints à s'exiler jusqu'en Oklahoma.

— Certains sont parvenus à rester ici et ont survécu. Mon arrière-arrière-grand-mère était deux tiers cherokee, de la réserve Qualla, au sud du parc des Smoky Mountains, précisa Hunter.

Elle ouvrit de grands yeux.

— J'ignorais que tu avais des origines cherokee.

— Il paraît que je ressemble beaucoup à mon arrière-grand-mère, dit Hunter.

Avec un petit rire, il ajouta :

— Mais c'est surtout mon héritage irlandais qui m'a entraîné dans de nombreuses bagarres à l'école. Mon surnom le plus gentil était « Tête brûlée ».

— Tu as du sang irlandais ? Maintenant, je sais d'où te viennent tes talents de beau parleur.

— Ma mère était une O'Brien. Ce qu'elle aimait le plus quand nous vivions à Chicago, c'était la manière dont on y fêtait la Saint-Patrick, en teignant les eaux de la rivière en vert.

— On utilise la même teinture végétale que celle que tu avais glissée dans mon démaquillant, expliqua Gaylynn.

— Je n'ai aucun tour dans ma manche aujourd'hui, assura son compagnon en remontant sa chemise sur ses avant-bras pour prouver ses dires.

— Tant mieux.

Elle se détourna pour ne plus voir les bras musclés qui avaient si bien su l'étreindre. Le seul souvenir de leur force enivrante suffisait à la faire frissonner de désir.

— Nous ferions bien de rentrer, marmonna-t-elle en reprenant le sentier qui menait au chalet.

Après seulement quelques pas, elle s'arrêta et vacilla avec un gémissement de douleur. Au comble de l'inquiétude, Hunter se précipita vers elle et l'aida à s'asseoir sur un tronc mort.

— Que se passe-t-il ? Tu t'es fait une entorse ?

— J'ai juste un caillou dans ma chaussure, le rassura-t-elle en défaisant ses lacets.

Soulagé, il se laissa tomber près d'elle et la regarda masser sa plante de pied douloureuse. A la dérobée, il admira son profil gracieux, son cou délicat, la courbe sensuelle de ses seins...

Soudain, un cri perçant déchira le silence de la forêt. Gaylynn serait tombée à la renverse dans les fourrés si son compagnon ne l'avait pas retenue.

Elle se retrouva tout contre lui, le visage enfoui dans son épaule réconfortante.

— Qu'est-ce que c'était ? demanda-t-elle d'une voix tremblante de frayeur.

— Un geai.

— Oh.

Mortifiée, elle voulut s'écarter. Mais, lorsqu'elle croisa le regard de braise de son compagnon, elle se perdit dans ses profondeurs émeraude et ses forces l'abandonnèrent.

5.

Lorsque, d'elles-mêmes, leurs lèvres se cherchèrent puis se frôlèrent en un va-et-vient exquis, Hunter dut faire appel à toute sa volonté pour ne pas plaquer Gaylynn contre son corps en feu.

Cependant, quand la jeune femme lui mordilla la lèvre inférieure et se pressa impatiemment contre lui, il s'abandonna au vertige de ses sens et laissa la passion déferler dans ses veines comme un torrent furieux.

Avec un soupir de plaisir, il resserra son étreinte et s'appropria la chaleur de sa bouche en un tourbillon voluptueux. Eperdu de passion, il lui caressa les cheveux, la joue, le menton.

Le désir grandit entre eux, sauvage et irrépressible, tandis qu'ils se dévoraient mutuellement de baisers. Sans savoir comment, Gaylynn se retrouva étendue sur son compagnon, se brûlant avec délices à la flamme qui le consumait.

Mais, lorsqu'elle s'arqua vers lui pour mieux épouser son corps viril, ils perdirent l'équilibre et tombèrent lourdement sur le sol.

Rouge d'embarras, la jeune femme se releva d'un bond et voulut s'éloigner. Mais, à sa grande consternation, elle s'aperçut qu'elle n'avait plus qu'une chaussure.

— Maintenant, je sais pourquoi on dit « facile comme tomber d'un arbre », observa Hunter en riant aux éclats.

« Ou comme tomber amoureux », ajouta Gaylynn en silence.

Elle était déjà à moitié folle de lui, elle devait bien se l'avouer. Cependant, il ne la voyait que comme la petite sœur de son meilleur ami. Elle devait se reprendre, sinon, elle aurait le cœur brisé, parce qu'il ne pouvait rien y avoir entre eux. Elle n'était pas digne d'un homme comme Hunter.

Pourquoi ne l'avait-elle pas retrouvé quand elle était encore une fonceuse et une battante ?

— Le timing fait tout, marmonna-t-elle avant de reprendre le chemin du chalet d'un pas pressé.

— Bravo, Bleuet ! s'écria-t-elle comme le chaton attrapait la ficelle qu'elle agitait sur le plancher de la véranda. Tu as de très bons réflexes.

Après deux semaines de patience et de cajoleries, les chats avaient enfin accepté de la suivre sous la véranda. La plupart du temps, Froussard préférait rester tapi derrière un des piliers de bois et Cléo s'asseyait en haut des marches, se tenant prête à entraîner sa progéniture dans le bois si besoin était.

Bleuet, en revanche, était très sociable, il venait souvent sur les genoux de Gaylynn pour se faire caresser et il adorait jouer.

Un peu plus tôt, Gaylynn leur avait fabriqué un panier avec le carton du coffret magique. Comme Bleuet, las de courir après la ficelle, se blottissait sur ses genoux, la jeune femme en profita pour étudier les documents qui accompagnaient le coffret.

Dans une longue lettre rédigée à l'intention de ses descendants, sa grand-mère relatait la légende telle que ses parents la lui avaient contée et elle mettait en garde celui ou celle qui tenterait de se débarrasser du coffret magique. Elle citait notamment le cas d'un ancêtre qui avait été frappé par la foudre immédiatement après avoir essayé de vendre la relique familiale.

— Règle numéro un : éviter de mettre cette boîte en gage si on a besoin d'argent, murmura Gaylynn.

Pour sa part, sa mère avait écrit :

« Personne ne connaît avec exactitude l'âge du coffret magique, d'autant plus que, pour les Tziganes, le temps n'a pas la même importance que pour les Gadjés. Je suis cependant parvenue à retrouver sa trace lors d'événements historiques majeurs, comme la révolution américaine à la fin des années 1700.

« A cette époque, un tzigane est tombé amoureux fou d'une femme mariée après avoir ouvert le coffret. La femme a succombé à son charme et ils ont fini par se suicider dans le pavillon de chasse du mari. »

— Règle numéro deux : éviter les chasseurs et les hommes mariés, résuma Gaylynn.

Elle secoua la tête.

— Tant de drames à cause d'une ancêtre têtue qui aimait un comte insignifiant.

Avec un profond soupir, elle déclara à Bleuet :

— L'amour fait souvent souffrir. Mais ce n'est pas une raison pour avoir recours à la magie. La preuve : la sorcière s'est trompée de charme et, depuis, des générations de Janos qui n'avaient rien demandé sont affectés par ce sortilège.

« Cependant, poursuivait sa mère, la plupart du temps, le coffret a eu des effets bénéfiques. Par exemple, l'amour d'un Rom et d'une comtesse autrichienne a permis de faire cesser certaines persécutions contre les gens du voyage dans ce pays. Et l'union de deux jeunes gens de tribus rivales a mis fin à une guerre qui durait depuis plus de cent ans. »

— Je me demande si la jeune fille à l'origine du sortilège a fini par épouser son comte, s'interrogea Gaylynn.

A sa grande déception, aucune des notes rédigées par sa mère ne lui fournit de réponse. Prenant soin de ne pas réveiller Bleuet qui avait fini par s'endormir sur ses genoux, et de ne pas effrayer Froussard qui s'approchait timidement du rocking-chair, elle tendit la main vers le coffret.

Il était étonnamment chaud sous ses doigts. Sans doute parce qu'il était resté au soleil, raisonna-t-elle. En l'observant attentivement pour la première fois, elle s'aperçut qu'il était orné de minuscules gravures. Le côté droit représentait un voilier et des cocotiers, le côté gauche, un soleil qui se couchait sur une chaîne de montagnes.

— Cela veut dire quoi ? demanda-t-elle. Que je vais faire un beau voyage sous les tropiques ? Ou que j'étais destinée à venir à la montagne ?

Le couvercle était également richement ciselé, avec des cœurs et des quartiers de lune. Le soulevant avec d'infinies précautions, Gaylynn chercha la clé en argent que son frère avait dit avoir rangée à l'intérieur du coffret.

Mais elle ne trouva qu'une broche en camée épinglée à un ruban rouge et blanc effrangé par le temps. Lorsqu'elle prit le bijou dans sa main, elle fut étonnée d'éprouver aussitôt un profond sentiment de sérénité et d'assurance.

Comme Bleuet s'éveillait et tendait une patte joueuse vers le ruban, elle jugea plus prudent de ranger sa trouvaille dans le coffret.

Elle avait beaucoup appris cet après-midi, notamment que le sortilège opérait quelle que soit la situation de famille de celui qui ouvrait le coffret. Preuve en était la tragédie qui avait découlé de l'amour d'un Rom et d'une femme mariée.

En mesurant la redoutable efficacité du coffret magique, Gaylynn fronça les sourcils avec inquiétude. Il ne manquerait plus qu'elle tombe amoureuse du clochard qu'elle avait aperçu le jour de son arrivée !

— Tu es nerveuse parce que tu as attendu ce moment toute ta vie, la taquina Hunter.

— Tais-toi et laisse-moi me concentrer, ordonnat-elle sèchement en plissant les yeux pour mieux viser le panier.

— Calme-toi. Il s'agit seulement d'une petite partie de basket amicale.

Prenant une profonde inspiration, Gaylynn tira. Le ballon décrivit un arc de cercle, rebondit sur le tableau et tomba dans le panier.

— Oui ! exulta-t-elle en sautant de joie.

Hunter haussa les épaules.

— Il n'y a pas de quoi pavoiser. Tu n'es pas encore dans l'équipe du NBA.

— Tu es grincheux parce que tu perds.

— Ce n'est pas parce que tu as quelques points de plus…

— Dix exactement.

Quand Hunter était passé la voir pour lui proposer une partie de basket chez lui, Gaylynn avait platement refusé. Mais ensuite, il l'avait mise au défi de le battre, lui rappelant le souvenir exaspérant de l'époque où Michael et lui ne voulaient jamais l'inclure dans leurs jeux.

— Tu as enfin l'occasion de jouer avec moi tant que tu veux, avait souligné Hunter. Profites-en.

Surprenant son demi-sourire, elle s'était demandé si elle devait voir un sous-entendu dans cette invite. Probablement pas, avait-elle conclu en refoulant l'espoir et l'excitation qui faisaient palpiter son cœur.

Jamais Hunter n'aurait proposé à la petite sœur de son meilleur ami d'user et d'abuser de son corps viril.

Il était beaucoup plus grand qu'elle, mais elle compensait leur différence de taille par sa souplesse et son agilité. Et elle avait un énorme avantage : quand elle avait ôté son coupe-vent et révélé son bustier et son short de Lycra rouge et noir, elle avait remarqué que le regard de son compagnon s'égarait constamment vers sa poitrine et son ventre nu.

Elle ne s'était pas sciemment habillée de manière provocante. Quand Hunter était passé chez elle, elle achevait de faire ses exercices d'assouplissement quotidiens. A présent, elle se félicitait de n'avoir pas pris le temps de se changer et elle profitait sans vergogne de la distraction de son adversaire, feignant constamment de se heurter à son adversaire ou faisant en sorte de le frôler du bras ou de la main.

— Faute ! protesta Hunter alors qu'elle tentait une nouvelle manœuvre de diversion en se jetant contre lui.

— Certainement pas, répliqua-t-elle. Allons, Hunter, un enfant de dix ans joue mieux que toi.

Profitant de son indignation, elle lui subtilisa le ballon et fonça vers le panneau.

— J'ai vu des bébés dribbler mieux que ça, se moqua Hunter en la dévorant du regard.

Jamais elle n'avait été aussi belle. Ses cheveux ébouriffés tombaient sur ses joues rosies par l'effort, ses lèvres pleines étaient fendues sur un sourire victorieux qui l'atteignait en plein cœur et affolait son pouls.

Bon sang, il devait se ressaisir. Elle venait de marquer un autre panier.

Dans un sursaut d'orgueil, Hunter parvint à regagner un point avant la fin du temps qu'ils avaient fixé pour leur partie. Hors d'haleine, il se laissa ensuite tomber sur le banc adossé à la véranda et tenta de reprendre son souffle en se penchant en avant, la tête entre les genoux.

A sa grande surprise, il sentit Gaylynn venir derrière lui et l'enlacer par les épaules. Quand elle déposa un baiser sur sa tempe, son cœur menaça d'éclater.

— Pourquoi ce baiser ?

— Pour m'avoir laissée mériter ma victoire. Tu ne m'as pas laissée gagner, ma victoire est ce qu'il y a de plus honnête.

Il lui jeta un regard incrédule.

— Honnête ? Avec cette tenue ?

— Ce n'est pas ma faute si tu étais distrait, répliqua-t-elle avec un coup de coude amical.

Hunter n'eut pas le front de nier ou de mentir sur les causes de son manque de concentration. Désireux de changer de conversation, il se dirigea vers la véranda.

— Rentrons. J'ai du soda et de la bière au frais.

Lorsqu'il se retourna, il fut surpris de voir que Gaylynn n'avait pas bougé.

— Il y a un problème ?

Enorme, faillit-elle gémir. Il était beaucoup trop séduisant avec son T-shirt blanc trempé de sueur qui lui collait à la peau et son jean moulant qui tombait bas sur ses hanches et caressait ses cuisses musclées comme elle rêvait de le faire.

— Tu as peur de ne pas pouvoir supporter le désordre qui règne chez moi ? s'enquit Hunter.

Après une courte pause, il reprit :

— Remarque, tu as raison, je ne suis pas une fée du logis. Fais comme tu veux.

Gaylynn hésita. Elle pouvait rester au soleil et continuer de déplorer son attirance croissante pour Hunter, ou elle pouvait le suivre et profiter au maximum de sa compagnie.

Lorsqu'elle croisa le regard chaleureux d'Hunter, son cœur décida pour elle.

A l'intérieur comme à l'extérieur, le chalet d'Hunter était la réplique de celui de son frère, à cette seule différence qu'une grande cheminée de pierre occupait tout un mur du salon. Comme chez Michael, les portes-fenêtres laissaient entrer le soleil printanier à flots, les poutres apparentes et les murs lambrissés de pin clair donnaient un cachet rustique au décor, des éléments bas surmontés d'un plan de travail en chêne séparaient la cuisine du salon et faisaient office de bar.

Hunter n'était pas aussi désordonné qu'il l'avait laissé entendre. Certes, des journaux et des magazines étaient éparpillés sur la table basse, une paire de chaussures traînait près du canapé de cuir marron recouvert d'une couverture, et une veste était abandonnée sur le dossier d'une chaise, mais ce joyeux désordre contribuait à rendre son chalet vivant et accueillant.

Cette maison était à l'image de son propriétaire, songea Gaylynn en examinant les tableaux très colorés accrochés aux murs : simple, discrète et chaleureuse.

— C'est de l'art cherokee, expliqua Hunter qui avait remarqué son intérêt.

Ouvrant le réfrigérateur, il demanda :

— Que puis-je t'offrir ?

« Un cerveau neuf, pensa-t-elle sombrement. Celui que j'ai a tendance à se désintégrer dès que tu es près de moi. »

A voix haute, elle répondit :

— Un soda serait parfait.

— Tu aimes toujours les sandwichs au jambon et au fromage ? demanda Hunter en revenant lui tendre une bouteille de Coca.

— Bien sûr. Et toi, tu te fais toujours tes affreux sandwichs au beurre de cacahuète et au ketchup ?

— Justement, j'ai un petit creux. Je vais m'en préparer un.

— Si tu fais ça, je rentre chez moi, menaça Gaylynn avec une grimace d'écœurement.

Munis de leurs boissons, ils ressortirent s'asseoir sous la véranda. Tout en admirant la manière dont le soleil couchant soulignait les traits virils de son compagnon, Gaylynn se répéta fermement : « Je ne tomberai pas amoureuse d'Hunter. Je ne tomberai pas... »

Mais, alors qu'elle formulait cette résolution de sagesse, une voix désagréable dans sa tête lui demanda si elle ne tentait pas de fermer la porte de l'écurie alors que les chevaux étaient déjà dehors.

*
* *

— Voyons si mon téléphone portable marche mieux aujourd'hui, murmura Gaylynn à Bleuet tandis qu'elle assistait au coucher du soleil, confortablement installée sur le rocking-chair de sa véranda.

Elle avait appelé ses parents le lendemain de son arrivée, mais leur conversation avait été brève car la ligne était mauvaise. Et, quand elle avait tenté de les joindre de nouveau quelques jours plus tard, elle n'avait carrément pas eu de tonalité.

Cette fois, la chance lui sourit.

— Bonsoir, papa, dit-elle joyeusement quand son père décrocha. Comment allez-vous, tous ?

— Très bien. Hope vient de faire ses premiers pas sous l'œil attendri de Brett et de ta mère. Ton frère a filmé ce grand événement.

— Et, bien sûr, toi, tu es resté de glace, se moqua Gaylynn qui savait combien son père aimait l'enfant.

— Cette petite est adorable, admit-il. Elle marche comme un poussin, avec les coudes écartés.

Puis il enchaîna :

— Michael m'a dit qu'il t'avait donné le coffret magique. L'as-tu ouvert ?

— Le soir de mon arrivée.

— Et ?

— Et rien. Pourquoi ?

— Tu n'as vu personne à ce moment-là ?

Sachant que son père viendrait la chercher sur-le-champ s'il apprenait qu'elle avait aperçu un clochard, Gaylynn préféra éviter de répondre.

— Cesse de t'inquiéter pour moi, papa.

— Hunter est-il passé te voir ? voulut savoir son père. Michael m'a assuré qu'il l'avait chargé de veiller sur toi.

— Je le bats au basket chaque soir.

— C'est normal. Je ne t'ai pas emmenée voir tous les matchs des Bulls pour rien.

— Mes prouesses sportives sont surtout dues au fait que j'ai souvent remplacé le professeur d'éducation physique.

— C'est le passé, décréta Konrad Janos. Dès ton retour, tu postuleras dans un bon établissement, où il n'y a que des enfants issus de milieux aisés.

— Ils ont des problèmes aussi, répliqua Gaylynn.

— A propos, quand rentres-tu ?

— Je ne sais pas encore.

— Même si ta mère m'a interdit de faire pression sur toi, je veux que tu saches que tu nous manques et que nous avons hâte de te revoir.

— Je sais, papa, moi aussi, je m'ennuie de vous. Je vous rappellerai bientôt.

Sur le point de raccrocher, Gaylynn se ravisa et reprit :

— A propos du coffret, je voudrais savoir si la broche qui était dedans…

Mais son père avait déjà raccroché. Comme le témoin de la batterie clignotait, Gaylynn résolut de la mettre à recharger et d'attendre son prochain appel pour questionner son père.

En fin de soirée, un vent frais se leva et il se mit à pleuvoir. Gaylynn s'empressa d'aller appeler les chats. Cependant, ils ne lui faisaient pas encore assez confiance pour la suivre à l'intérieur du chalet. En dépit de ses exhortations, ils restèrent blottis dans leur carton sous la véranda, serrés les uns contre les autres et frissonnant de froid.

Refusant de s'avouer vaincue, elle prit la ficelle avec laquelle Bleuet avait coutume de jouer et l'agita dans l'entrée. Comme elle l'espérait, le chaton bondit hors de son panier et suivit la ficelle qu'elle faisait serpenter sur le plancher. Après quelques secondes d'hésitation, son frère l'imita.

Sans cesser de faire remuer la ficelle, Gaylynn avança lentement dans le couloir. Absorbés par leur jeu, les chatons la suivirent jusqu'à sa chambre.

Après les y avoir enfermés, elle retourna chercher leur mère. Les miaulements plaintifs de ses petits suffirent à convaincre la chatte de rentrer.

Quand Gaylynn les libéra, Froussard et Bleuet se précipitèrent vers leur mère. La jeune femme disposa alors dans la cuisine un bol de croquettes, une assiette de miettes de thon et le bac de litière qu'elle avait eu la prévoyance d'acheter quelques jours plus tôt.

Une fois rassasiés, les chats entreprirent d'explorer leur nouveau domaine.

— Votre maison vous convient ? s'enquit Gaylynn.

Cléo acquiesça d'un miaulement bref.

A son réveil le lendemain matin, Gaylynn sourit aux trois chats installés à ses pieds. Elle les avait laissés s'approprier son lit après avoir soigneusement inspecté leur pelage la veille sans trouver ni puces ni tiques, ce qui était un miracle étant donné qu'ils avaient vécu dans les bois.

— Vous êtes en sécurité maintenant, dit-elle à Cléo qui ronronna de plus belle.

Toute la journée, les averses orageuses se succédèrent et une brume épaisse resta accrochée à la cime des arbres et aux montagnes. C'était le temps idéal pour faire la grasse matinée et paresser douillettement à l'intérieur en buvant du chocolat chaud.

Les chatons refusèrent de rester en place assez long-temps pour que Gaylynn les croque. Cependant, Cléo eut l'amabilité de coopérer en se couchant en boule sur le canapé pour faire une petite sieste.

Lorsqu'elle posa son crayon, l'artiste en herbe fut impressionnée par son œuvre. Elle avait réussi à dessiner un chat, et pas n'importe lequel : Cléo était très ressemblante avec sa fourrure plus sombre autour des oreilles et du museau.

Heureusement qu'elle avait trouvé ce vieux carnet dans sa voiture. Mais aussi, un professeur qui se respecte a toujours de quoi prendre des notes.

Justement était-elle toujours professeur ?

Elle se demandait de plus en plus souvent comment allaient ses élèves. Elle avait l'impression de les avoir abandonnés à leur triste sort, de les avoir trahis. Certes, elle était très tentée d'appeler une de ses collègues pour s'assurer que tous allaient bien, mais, après mûre réflexion, elle s'abstint, redoutant que le seul fait d'entendre cette voix connue ne ravive ses angoisses.

Bleuet et Froussard lui offrirent une distraction bien-venue quand ils se réveillèrent et plongèrent sous le tapis, ne laissant dépasser que leur museau entre les franges. Riant aux éclats, elle leur lança une boulette de papier et les regarda courir comme des fous dans tout le salon.

A l'heure du dîner, un léger coup à la porte d'entrée fit courir les chats à toutes pattes dans la chambre.

— C'est juste Hunter, les rassura Gaylynn.

Elle ouvrit de grands yeux quand son visiteur entra, trois énormes cabas dans les bras.

— Qu'est-ce-c'est ? demanda-t-elle.

— Mon réfrigérateur est tombé en panne. Comme je ne voulais pas jeter mes provisions, j'ai pensé les stocker chez toi.

— Mais il y a de quoi nourrir une armée.

— Je suis en pleine croissance, je mange beaucoup, plaisanta Hunter.

— Tu as de la chance, mon frigo est presque vide.

— Il vaudrait mieux faire cuire la viande ce soir. Je ne sais pas quand je pourrai faire venir un réparateur.

Les sourcils froncés, Gaylynn observa son interlocuteur à la dérobée. Elle le soupçonnait fortement de mentir pour l'obliger à se nourrir convenablement.

Cependant, à part risquer de le froisser en mettant ouvertement sa parole en doute et en allant examiner elle-même son réfrigérateur, elle n'avait aucun moyen de savoir la vérité.

Il ne lui restait donc plus qu'à cuisiner ce qu'il avait apporté.

— Je n'arriverai jamais à manger tout ça. Reste dîner, proposa-t-elle.

Hunter n'avait manifestement que cette invitation. Avec un sourire ravi, il alla accrocher son imperméable dans l'entrée puis revint s'asseoir dans la cuisine.

Lorsqu'elle vida les cabas, Gaylynn vit ses soupçons se confirmer.

— De la soupe ? s'étonna-t-elle après avoir posé une douzaine de conserves sur la table. Depuis quand doit-on mettre les boîtes de soupe au réfrigérateur ?

Hunter évita son regard.

— J'en avais acheté trop, elles ne rentraient pas toutes dans le placard, marmonna-t-il.

Gaylynn continua d'aligner boîtes de pâté, bocaux, paquets de chips et de biscuits sur la table. Ce faisant, elle en profita pour admirer discrètement son invité. Il était sexy en diable avec ses cheveux mouillés par la pluie qui tombaient sur son front. Et il avait la bouche la plus sensuelle du monde. Elle aurait adoré le dessiner, pour pouvoir le regarder à loisir quand il n'était pas avec elle.

« Tant que tu y es, mets son portrait sous ton oreiller », ironisa-t-elle en silence en se remémorant un sortilège tzigane dont son père disait qu'il faisait venir à soi la personne désirée.

Elle gémit intérieurement. N'avait-elle pas assez d'ennuis sans jouer les apprenties sorcières ? Avec sa chance, elle allait elle aussi se tromper de formule et Dieu sait ce qui arriverait aux prochaines générations de Janos.

Jugeant plus sage de se concentrer sur la préparation du dîner, elle décida de faire simple : steaks et sauté de pommes de terre et de courgettes. Pendant qu'elle épluchait les légumes, Hunter s'efforça de convaincre les chats qui l'observaient avec méfiance de la porte de la cuisine qu'il n'était pas Jack l'Eventreur.

— Venez les enfants, invita-t-il en tapotant ses genoux. Je ne vous ferai aucun mal.

La douceur de sa voix fit chavirer le cœur de Gaylynn. Elle aurait volontiers sauté sur ses genoux à la place des chats.

— Nous devrions demander à Laura de les examiner et de les vacciner, suggéra Hunter quand Bleuet se hasarda à venir renifler sa large main.

— Qui est-ce ?

— Le seul vétérinaire des environs. D'ordinaire, elle réserve les visites à domicile aux cas d'urgence, mais, si je le lui demande, je suis sûr qu'elle acceptera de faire une exception et de passer voir tes protégés.

— Tu la connais bien, on dirait.

Imaginer les autres traitements de faveur que la vétérinaire pouvait réserver à Hunter fit frémir Gaylynn d'irritation.

— Rassure-toi, elle est mariée, précisa Hunter avec un sourire en coin.

— Et alors ? marmonna-t-elle, rouge d'embarras d'avoir été si facilement percée à jour.

A son grand soulagement, Hunter changea de sujet.

— Qu'est-ce que c'est ? demanda-t-il en tendant la main vers le coffret magique qu'elle avait posé sur le buffet dès qu'il s'était mis à pleuvoir.

— Un cadeau qu'une parente nous a rapporté de Hongrie.

— Les ciselures sont remarquables, commenta Hunter avec admiration. Un vrai travail d'orfèvre.

— Tu ne remarques rien d'étrange ? demanda Gaylynn avec espoir.

Peut-être que, pour une fois, le coffret magique pouvait agir sur un étranger à la famille Janos, et faire tomber Hunter éperdument amoureux d'elle.

— Qu'entends-tu par là ? demanda ce dernier avec perplexité.

Elle contint sa déception du mieux qu'elle put.

— Le dîner est prêt.

— Cela sent bon, dit Hunter en se frottant l'estomac avec une mine gourmande. J'ai une faim de loup.

Gaylynn espérait que la saveur de son repas serait à la hauteur de son odeur. Préférant ne pas mettre à l'épreuve les bonnes manières des chats, elle remplit leurs soucoupes de croquettes avant de poser les steaks et le sauté de légumes sur la table.

Consciente du regard attentif dont son invité l'enveloppait, elle porta une main gênée à sa queue-de-cheval à moitié défaite. Elle n'avait toujours pas trouvé le courage d'aller chez le coiffeur. Elle devait être affreuse. Mais Hunter aussi avait besoin d'une bonne coupe, remarqua-t-elle après un rapide regard. Ses boucles brunes tombaient sur son col de chemise, lui donnant un air négligé terriblement sexy.

— Tu devrais te faire couper les cheveux, ne put-elle s'empêcher de conseiller.

— Tu te portes volontaire ?

— Il doit bien y avoir un coiffeur à Lonesome Gap ?

— Il n'aurait pas beaucoup de succès. Ici, ce sont les femmes qui coupent les cheveux de leur mari. Evidemment, comme je suis célibataire…

Hunter écarta les mains et prit une mine de chien battu qui n'abusa pas sa compagne.

— Où as-tu fait faire ta dernière coupe ? interrogea-t-elle.

— Dans un salon de beauté de Summerville.

— J'ai du mal à t'imaginer dans ce genre d'établissement.

— Je prends ça comme un compliment, décida Hunter avec sourire lumineux.

Gaylynn tenta d'ignorer l'affolement de son pouls.

— Je… Pourquoi n'y retournes-tu pas ?

— Je n'y remettrai jamais les pieds. Ils voulaient me mettre des bigoudis, raconta Hunter avec indignation.

Gaylynn éclata de rire.

— Mon pauvre chéri !

Tout en remplissant leurs assiettes, elle se demanda pourquoi les choses ne pouvaient pas toujours être ainsi entre eux : gaies, insouciantes, amusantes. Puis elle croisa le regard chaleureux de son convive et, une fois de plus, son cœur s'emballa.

Eperdue d'émotion, elle contempla les traits virils, espérant y lire le reflet des sentiments qui l'animaient. Mais, à sa grande déception, l'expression d'Hunter était redevenue impénétrable.

Elle devait dire quelque chose, relancer la conversation avant de trahir ses sentiments.

— Comment va ton adjoint ? S'est-il remis de sa blessure ?

— Il commence tout juste à se déplacer avec une canne. En conséquence, il doit se cantonner aux travaux de bureau pendant deux semaines.

— C'est pour cela que tu finis si tard en ce moment ?

— Tu as remarqué ? s'étonna Hunter.

— J'entends ta voiture quand tu rentres.

Elle n'allait pas avouer qu'elle passait ses soirées à guetter son retour et qu'elle ne trouvait le sommeil que lorsqu'elle le savait rentré sain et sauf chez lui.

Hunter la tira d'embarras en lui racontant sa mission la plus dangereuse de la journée : aider le chat de Ma Battle à redescendre d'un arbre.

— J'ai de la chance de m'en être sorti indemne, dit-il en riant. Ma Battle a fait castrer son vieux Tom il y a quelques jours et, depuis, il se venge en griffant tous ceux qui passent à sa portée.

— Ma Battle est la dame qui fait des concours de mots croisés, n'est-ce pas ?

— Tu l'as rencontrée ?

Hunter plissa le front d'un air soucieux.

— Elle ne t'a pas parlé, j'espère ?

Gaylynn ouvrit des yeux perplexes.

— Pourquoi ? C'est interdit ?

— Non, bien sûr. Simplement, je ne voudrais pas qu'elle t'ennuie.

— Je ne vois pas comment. Explique-toi.

Irritée par le long silence de son interlocuteur, Gaylynn le foudroya du regard.

— D'accord, soupira-t-il. Quand j'ai mentionné que tu étais enseignante, certaines personnes en ville ont envisagé de te demander…

Il marqua une longue hésitation.

— … quelque chose. Mais je leur ai interdit de t'ennuyer.

— De quoi parles-tu ?

— N'y pense plus. Tu n'as pas besoin d'être mêlée aux problèmes des habitants de Lonesome Gap.

— Quels problèmes ?

Hunter haussa les épaules.

— Rien qui te concerne.

Visiblement désireux d'échapper à d'autres questions, il changea de sujet.

— Ton dîner était délicieux.

Très flattée, Gaylynn oublia momentanément sa curiosité.

— Tu crois que je ne t'ai pas vu glisser des morceaux de steak à Bleuet ?

— Je n'ai jamais pu résister aux beaux yeux bleus.

— Je sais.

Jamais Gaylynn n'avait autant regretté d'avoir les yeux bruns.

— Tu as toujours eu un cœur d'artichaut, se moqua-t-elle.

Avec un long soupir, Hunter repoussa sa chaise et se leva.

— Je dois partir. Je suis de permanence cette nuit.

Tout en enfilant son imperméable, il recommanda à Gaylynn qui l'avait suivi dans l'entrée :

— Si tu descends en ville, ne te laisse surtout pas attendrir par ce qu'on pourra te raconter. En fait, je te conseille de ne pas y retourner pendant quelques jours.

— D'accord, acquiesça-t-elle avant de refermer la porte derrière lui.

Tout en regagnant sa voiture, Hunter se frotta les mains.

— Telle que je la connais, elle n'en fera qu'à sa tête, prédit-il.

Il savait pertinemment que ses réponses évasives avaient éveillé la curiosité de Gaylynn. Pour l'instant, tout se passait comme il l'avait espéré.

6.

— Vous n'avez déjà plus de nourriture pour chat ? s'étonna Floyd quand Gaylynn posa quatre paquets de croquettes au poulet et au poisson et vingt boîtes de pâtée devant la caisse. Combien en avez-vous encore recueillis depuis la dernière fois ?

— Je n'en ai toujours que trois, mais deux sont des bébés en pleine croissance, expliqua Gaylynn.

— A ce train-là, ils vont devenir plus gros que des tigres, commenta Betsie.

Au lieu de se hâter vers sa voiture comme chaque fois qu'elle finissait ses courses, Gaylynn s'accouda au comptoir et sourit au vieux couple de commerçants.

— Quoi de neuf ?

Depuis la veille, elle était dévorée par la curiosité. Quel service pouvaient bien vouloir lui demander les habitants de Lonesome Gap ?

Tout en conduisant sur la route sinueuse qui menait à la petite bourgade descendant à Lonesome Gap, elle s'était demandé auprès de qui elle pourrait glaner les précisions qu'Hunter était si réticent à lui donner.

Bavards comme ils l'étaient, avait-elle réfléchi, les Twitty devaient forcément être au courant de tout ce qui se passait dans la vallée. Leur commerce était situé au cœur du village, juste en face de la mairie, l'endroit idéal pour les potins car, comme il n'y avait pas d'autre épicerie ni bureau de poste à moins de quarante kilomètres, tout le monde venait y faire ses courses et y retirer ou expédier son courrier.

Sans se faire prier, Floyd et Betsie se lancèrent dans un récit détaillé de ce qu'ils considéraient comme l'événement le plus important survenu ces dernières semaines : l'accident de la circulation suite auquel l'adjoint d'Hunter s'était blessé au pied.

— En se renversant, le semi-remorque a répandu tout l'engrais qu'il transportait sur la chaussée, raconta Floyd.

— La circulation a été interrompue toute la nuit, se désola Betsie.

— Je ne vous parle pas de l'odeur ! renchérit Floyd. On aurait dit que tous les putois en chaleur de la région s'étaient donné rendez-vous à Lonesome Gap.

— Floyd Twitty, surveille ton langage ! le réprimanda son épouse en lui donnant une tape sur le bras.

— Cette jeune dame vient de Chicago, je suis sûr qu'elle a entendu bien pire, se défendit Floyd. Tu te fais toujours du souci pour rien.

Après l'avoir fusillé du regard, Betsie reporta son attention sur Gaylynn.

— Cet accident a causé beaucoup de dégâts. Mon cousin Eldon travaille à la voirie, il était d'astreinte ce soir-là.

— J'avais dit à Boone de proposer son aide, mais, bien sûr, il était trop occupé à travailler sur une voiture, maugréa Floyd.

Devant la mine perplexe de Gaylynn, Betsie expliqua :

— Boone est notre petit-fils. Ses parents sont morts quand il était bébé et nous l'avons élevé. Il est passionné de mécanique et il est très doué. Les gens viennent de tout le comté pour lui confier leur voiture à réviser ou à vidanger. Il a installé son atelier dans la remise à côté de la station.

— Je compte lui laisser la station quand nous prendrons notre retraite, confia Floyd. Mais d'abord, je veux m'assurer qu'il a le sens des affaires.

Secouant la tête avec dépit, il ajouta :

— Pour l'instant, je vois surtout qu'il est têtu comme une mule. Il refuse de se faire payer.

— Pour ce qui est de l'obstination, tu n'as rien à lui envier, se moqua Betsie.

— A part ça, rien de spécial ? demanda Gaylynn pour ramener la conversation sur le sujet qui l'intéressait.

De quoi Hunter avait-il parlé ? En quoi pourrait-elle aider les habitants de Lonesome Gap ?

— Vous savez sans doute que l'adjoint Carberry s'est accidentellement tiré une balle dans le pied ? raconta Floyd.

— Cela a dû être très gênant, ajouta Betsie.

— Et surtout douloureux, renchérit Floyd.

— Je parlais pour sa femme, précisa Betsie. Elle se donne toujours de grands airs et répète à qui veut l'entendre que la police a de la chance d'avoir son Charlie.

— Elle a raison. Tout le monde ne sait pas se tirer dans le pied, ricana Floyd.

— On ne doit pas se moquer du malheur des autres, réprimanda Betsie.

Se mordant les joues pour ne pas rire, elle se tourna vers Gaylynn.

— Vous faut-il autre chose, ma chère ?

— Pas pour aujourd'hui.

Gaylynn réfléchit rapidement, se demandant qui d'autre elle pourrait questionner.

— Mais j'y pense… Pourriez-vous m'indiquer un endroit où déjeuner ?

Autant joindre l'utile à l'agréable et se restaurer tout en menant sa petite enquête. D'autant plus qu'elle commençait à en avoir assez de sa cuisine rudimentaire.

— Bien sûr, acquiesça Bessie. Allez au Lonesome Café et commandez le poisson-chat. C'est la spécialité du jour.

— C'est le même bâtiment que Chez Hazel, informa Floyd.

— Je me demande encore pourquoi Hazel Rue a ouvert son snack juste à côté de chez Lillie Montgomery alors que leurs familles sont fâchées à mort, murmura Betsie.

— Cette ville se porterait bien mieux si ces vauriens de Rue étaient restés dans leur vieille ferme délabrée, crois-moi, bougonna son mari.

Intriguée, Gaylynn demanda :

— Cette querelle a-t-elle quelque chose à voir avec un service que certaines personnes voudraient me demander ?

— Absolument pas, assura Betsie sans réfléchir.

Puis elle rougit violemment et se mordit la lèvre.

— Seigneur, Hunter me tuera s'il apprend que je vous ai parlé de… la chose.

— Quelle chose ?

— Je n'ai pas le droit de vous le dire.

— Ne vous inquiétez surtout pas, recommanda Floyd. Nous ne voulions pas vous effrayer en mentionnant la guerre qui oppose les Rue et les Montgomery.

— A quoi est-elle due ? voulut savoir Gaylynn.

Betsie haussa les épaules.

— Je ne le sais même plus.

— Moi si, affirma Floyd. Caleb Montgomery a dénoncé Paul Rue parce qu'il faisait de la contrebande et les Rue se sont vengés en demandant à l'inspecteur des impôts de le contrôler.

— C'est arrivé il y a combien de temps ? demanda Gaylynn.

— En 1927, il me semble.

— Il y a plus de soixante-dix ans !

— Une paille, comparé à l'âge des montagnes, souligna Floyd.

Saisie d'un doute, Gaylynn demanda :

— Est-ce qu'un membre de la famille Rue habite près du chalet de mon frère ?

— Pourquoi cette question ?

— J'ai vu un homme bizarre l'autre jour. Il était vieux, mal habillé…

— La moitié des habitants de cette ville correspondent à cette description, plaisanta Betsie.

Gaylynn hésita à lui faire part de ses soupçons. Plus elle y pensait, plus elle était convaincue que l'homme était un braconnier, qu'aurait-il pu faire d'autre en pleine montagne ?

Cependant, et aussi amicaux et accueillants qu'ils fussent, Betsie et Floyd n'admettraient jamais devant elle qu'un habitant de leur ville se livrait à des activités illicites.

Au fond, décida-t-elle, peu importait, elle ne reverrait sans doute jamais le vieil homme.

— Je vais vous laisser. Merci de m'avoir expliqué la cause de cette vieille querelle.

— Lonesome Gap a sa propre guerre des clans, se vanta Floyd. Comme dans ce film que nous avons vu récemment, l'histoire des Montagues et des Capillaires.

— Capulets, corrigea automatiquement Gaylynn.

— Je regrette, nous ne vendons pas de capsules ou autres médicaments. Mais, au Café, ils ont des cachets pour soigner les maux d'estomac. Je n'ai d'ailleurs jamais compris pourquoi. Leur cuisine est très bonne.

Avec un sourire taquin, Floyd ajouta :

— Je ne peux pas en dire autant de celle de ma femme.

— Puisque tu insistes, tu auras du foie avec des oignons crus ce midi, annonça Betsie.

Momentanément réduit au silence, Floyd fit la grimace.

Amusée par leurs continuelles escarmouches, Gaylynn quitta le magasin en riant de bon cœur. Comme d'habitude, elle dut enjamber Bo Regard qui paressait sur le paillasson. Lorsqu'elle se pencha pour lui caresser la tête, le gros chien fit l'effort de remuer une oreille.

— Ne te fatigue pas trop, recommanda Gaylynn en riant.

Comme s'il était épuisé, le chien laissa retomber sa tête entre ses pattes avec un long soupir.

Après avoir rangé ses courses dans le coffre de sa voiture, la jeune femme décida de profiter du retour du soleil et de gagner le Café à pied. Chemin faisant, elle admira les collines boisées qui entouraient la ville comme un écrin de velours vert.

Une douzaine de bâtiments à un étage et de maisons individuelles bordaient la grand-rue de Lonesome Gap, tous fleuris de géraniums et de buissons d'azalées pourpres ou roses. Tous les commerces semblaient être regroupés dans la rue principale. Outre la station Twitty, il y avait un vidéo-club, un motel, un magasin de souvenirs appelé la Galerie des cadeaux. L'école et l'église étaient juste en face de Chez Hazel et du Lonesome Café.

Le poste de police était un peu plus bas, Gaylynn le voyait de la table où une serveuse aux cheveux roux flamboyant l'avait installée tout en mâchant un chewing-gum.

— Je suis Darlène, se présenta-t-elle en tendant un menu plastifié à Gaylynn. Je vous laisse faire votre choix, je reviens dans deux minutes.

Après avoir rapidement parcouru la liste des plats proposés, Gaylynn décida de suivre le conseil des Twitty et commanda du poisson-chat et un verre de thé glacé. En attendant son déjeuner, elle crayonna distraitement sur une serviette en papier, dessinant une bâtisse abandonnée qu'elle apercevait au bout de la rue.

— Vous êtes douée, la complimenta Darlène quand elle posa une assiette sur la table. Vous êtes artiste peintre ?

— Pas du tout. Mais ce vieux bâtiment m'inspire.

— C'est un ancien relais de poste. Il paraît qu'il a longtemps été le rendez-vous des amoureux.

— C'était sous la présidence d'Eisenhower, précisa une autre serveuse, plus âgée, qui passait, un lourd plateau sur l'épaule. Mais ensuite, les murs se sont effrités et il a commencé à pencher.

— Vous êtes ici en vacances ? s'enquit Darlène avec curiosité.

— Plus ou moins, murmura vaguement Gaylynn.

La serveuse ne se laissa pas décourager par son ton évasif.

— Vous êtes de passage, alors. Où allez-vous ?

— En fait, je me suis installée dans le chalet de mon frère. Tout près de chez Hunter.

Les deux clients assis à la table voisine ne perdaient pas une miette de la conversation. A la mention d'Hunter, ils dévisagèrent Gaylynn avec intérêt.

— Vous êtes une amie d'Hunter ? interrogea le plus âgé.

— Nous avons pratiquement grandi ensemble, répondit Gaylynn.

— Pourtant, vous n'êtes pas d'ici, devina l'autre homme. Vous avez un accent...

— Je viens de Chicago, confirma Gaylynn.

L'homme claqua des doigts.

— Ça y est, je me souviens ! Les parents d'Hunter sont partis vivre quelque temps dans le Nord. Mais, comme ils ne supportaient pas le froid, ils se sont installés en Floride.

— Voulez-vous venir avec nous à la piscine, cet après-midi ? proposa son ami.

— J'ignorais qu'il y avait une piscine à Lonesome Gap, s'étonna Gaylynn.

— A quoi servirait une piscine quand nous avons la Bitty River ? répliqua le plus âgé des deux hommes.

— Quoi qu'il en soit, il fait un peu froid pour se baigner.

— Qui parle de nager ? Il n'y a rien de mieux que prendre le soleil allongé au bord de la rivière en regardant le monde qui essaie de tourner rond.

— Dans cette ville, rien ne tourne rond, maugréa un jeune homme assis au comptoir. Et pour cause : rien ne bouge.

— Mêle-toi de tes affaires, Boone Twitty, le réprimanda Darlène.

Boone ressemblait énormément à ses grands-parents, constata Gaylynn en l'étudiant discrètement. Il avait les yeux bleus de Betsie et la bouche et le menton pointu de Floyd.

— Cette ville est si petite que son entrée et sa sortie sont indiquées sur les deux faces du même panneau, déclara Boone.

— Au moins, nous avons un panneau, répliqua Darlène.

— Uniquement parce que les dames du Comité de bienfaisance se sont amusées à peindre le vieux tableau noir qu'elles avaient récupéré dans l'école.

— Nous savons faire bien d'autres choses, protesta une femme aux cheveux gris assise de l'autre côté de la salle. Nous cousons et nous brodons de magnifiques édredons. Regardez celui qui est accroché au mur.

S'adressant à Gaylynn, elle déclara avec un grand sourire :

— Je suis Gladys Battle mais tout le monde ici m'appelle Ma Battle.

— Ma Battle est une championne de mots croisés, n'est-ce pas, Ma ? se moqua gentiment Boone.

— Tais-toi et laisse la demoiselle se présenter, ordonna la vieille dame.

Gaylynn s'exécuta de bon cœur.

— Je suis Gaylynn Janos.

— Vous êtes enseignante, n'est-ce pas ? demanda l'un de ses voisins de table.

La jeune femme commençait à s'habituer à la vitesse à laquelle les nouvelles se répandaient en ville.

— C'est exact, confirma-t-elle. Je suis professeur de mathématiques à Chicago.

— Nous étions tous très impatients de faire votre connaissance, dit Ma Battle.

Gaylynn allait demander pourquoi, quand la porte d'entrée s'ouvrit sur Hunter.

— Que racontez-vous à Gaylynn ? demanda-t-il d'un ton soupçonneux.

— Nous ne lui avons pas dit que la bibliothèque est fermée depuis cinq ans, ni que nos enfants ne savent plus où aller après l'école, répondit Darlène.

— Maintenant, c'est fait, lui reprocha Hunter en la foudroyant du regard.

— Mais non ! se défendit la serveuse.

— Mais si !

— C'est à toi que je parlais, Hunter. Ce n'est pas ma faute si ton amie a tout entendu.

— Pourquoi la bibliothèque est-elle fermée ? voulut savoir Gaylynn.

— Parce que la dernière responsable s'est enfuie avec un bon à rien, lui apprit l'homme qui lui avait proposé d'aller prendre le soleil au bord de la rivière.

— Vous êtes jaloux parce qu'elle n'a pas voulu dîner avec vous, accusa Darlène.

Pour la gouverne de Gaylynn, elle précisa :

— Mlle Russell a pris une retraite bien méritée. Elle avait près de soixante-dix ans.

— Cela ne change rien au fait qu'elle est partie avec ce chanteur de karaoké de Summerville, bougonna le vieil homme.

— Et vous n'avez pas pu la remplacer depuis ? s'étonna Gaylynn.

— Nous ne l'avions pas vraiment engagée, précisa Ma Battle.

— Elle travaillait comme bénévole, expliqua Boone.

— Ce n'est pas ton problème, Gaylynn, trancha Hunter en s'asseyant à sa table.

Il agita la carte des desserts devant elle.

— Goûte la tarte aux pommes. C'est un régal.

Gaylynn refusa de se laisser distraire.

— Parlez-moi encore de cette bibliothèque, dit-elle à Darlène.

— Si vous voulez, nous pouvons vous la montrer, proposa aussitôt la serveuse.

— Gaylynn a mieux à faire que de visiter un bâtiment en ruine, intervint Hunter. Laisse-la déjeuner en paix et occupe-toi de tes autres clients.

— Ne l'écoutez pas, protesta Gaylynn.

Croisant le regard noir d'Hunter, Darlène soupira :

— Je suis obligée. Il est de la police.

— Va donc me chercher une part de tarte, ordonna Hunter.

Après avoir fait une énorme bulle avec son chewing-gum, la jeune femme repartit vers la cuisine.

— Tu te crois irrésistible ! s'écria Gaylynn, indignée.

Hunter vola une poignée de frites dans son assiette.

— Si mes souvenirs sont bons, tu le pensais.

A court de réplique, elle le regarda manger le fruit de son larcin avec appétit et songea qu'il était aussi beau qu'exaspérant.

— Tu le penses toujours, ajouta-t-il avec un grand sourire en piochant de nouveau dans son assiette. La preuve : tu me dévores des yeux, Red.

— Ne m'appelle pas comme ça, riposta-t-elle avec un regard meurtrier. Et ne touche plus à mes frites.

Hunter ne l'entendit même pas. Il venait de remarquer que le décolleté en V de son T-shirt révélait suffisamment de peau crémeuse pour donner envie d'en voir plus.

Déjà, ses mains le démangeaient d'emprisonner les seins ronds qui tendaient le coton rouge pour éprouver leur rondeur et leur chaleur.

Le souvenir du baiser incendiaire qu'ils avaient partagé dans le bois le hantait. Il ne comptait plus les douches froides qu'il s'était infligées en pleine nuit dans l'espoir d'apaiser le désir qui le consumait tout entier ! Qu'y avait-il chez Gaylynn qui éveillait en lui une telle passion ? Etait-ce la plénitude sensuelle de sa bouche ? La limpidité de son regard ambré ? L'harmonie de ses courbes féminines ?

Hunter sortit de sa transe quand Gaylynn se pencha vers lui et mordit la frite qu'il tenait encore à la main. La douce chaleur des lèvres de la jeune femme sur ses doigts suffit à lui couper le souffle et à le faire frissonner de désir.

Le temps s'arrêta alors que leurs regards se croisaient puis se soudaient l'un à l'autre. Ils étaient seuls au monde, uniquement conscients du courant magique qui circulait entre eux, crépitant de sensualité et de passion inassouvie.

— Et voilà deux tartes aux pommes ! claironna tout à coup Darlène.

Abruptement tirés de leur rêverie, Hunter et Gaylynn sursautèrent et faillirent renverser les assiettes que la serveuse leur tendait.

— Vous êtes bien nerveux, commenta-t-elle avant de courir vers Boone qui réclamait son addition.

Renonçant à trouver dans son esprit en tumulte des paroles anodines pour relancer la conversation, Gaylynn prit sa cuiller et se mit à manger en silence. La tarte aux pommes était effectivement délicieuse, combinant la légère acidité des pommes tièdes, le croustillant de la pâte feuilletée et le froid de la glace à la vanille. Mais le souvenir du regard de braise d'Hunter était encore plus savoureux. Jamais il ne l'avait ainsi dévorée des yeux. Comme s'il la désirait ardemment. Comme si l'attirance était réciproque.

Sans doute prenait-elle ses rêves pour la réalité.

— Lequel de ces coussins préfères-tu ? Le blanc avec le ruban lilas ou le rouge à fleurs blanches ? demanda Gaylynn.

En dépit de ses protestations, Hunter avait tenu à profiter du reste de sa pause déjeuner pour lui faire les honneurs de sa ville natale.

Elle l'avait alors entraîné dans la Galerie des cadeaux, pensant que, comme tous les hommes, il devait détester faire du lèche-vitrine ou du shopping et qu'il s'empresserait de regagner son bureau.

La « galerie » était en réalité un bazar miniature. On y trouvait de tout et pour toutes les bourses : des bougies parfumées, des saladiers de bois d'olivier, des sachets de pot-pourri, des aquarelles représentant toutes sortes de paysages, des broderies au point de croix et des édredons en patchwork.

En ce début d'après-midi, Hunter et Gaylynn étaient les seuls clients. Ma Battle les accueillit avec un sourire étonné.

— Ça alors, Hunter. Je ne t'avais encore jamais vu ici.

— Je fais visiter la ville à Gaylynn.

— Tu vas aussi l'emmener voir la bibliothèque ?

— Non, madame.

— J'adore quand il est si poli, dit Ma Battle en faisant un clin d'œil à Gaylynn. Cela me rappelle quand il était petit. Un jour, je l'avais surpris en train de coller du chewing-gum dans les cheveux des filles pendant mon cours de catéchisme.

— Il a continué longtemps, lui apprit Gaylynn. A cause de lui, j'ai dû me faire couper les cheveux.

— C'est arrivé seulement une fois, précisa dignement Hunter. Comme son père m'avait menacé de me jeter un sort si je recommençais, je suis devenu raisonnable.

— J'étais trop indulgente, admit Ma Battle. En dépit de mes airs sévères, j'ai toujours été douce comme un agneau.

— Moi aussi, déclara Hunter.

— Tu n'as rien d'un agneau. Tu es un loup avec un cœur d'or, corrigea Ma Battle.

— Je suis entièrement d'accord, acquiesça Gaylynn.

— Il n'y a pas si longtemps, tu m'as dit que j'étais insupportable, rappela Hunter.

— La description de Ma Battle est plus appropriée. Pour en revenir aux coussins, lequel trouves-tu le plus mignon ?

— Je ne sais pas ce qui est mignon ou pas, soupira Hunter.

Il préféra étudier la question sous un autre angle.

— Où veux-tu mettre ce coussin ?

— Sur l'antiquité vert avocat qui fait office de canapé dans mon salon. Je pense le recouvrir en bleu.

— Le blanc va très bien avec le bleu, suggéra Ma Battle.

— J'aime aussi le rouge, hésita Gaylynn.

Après une rapide réflexion, elle décida :

— Je vais prendre les deux. Le blanc pour le salon et le rouge pour la chambre. Avec ces draps à rayures rouges et blanches. Je voulais justement redécorer le chalet.

— Michael va adorer, railla Hunter.

— Ce qu'il ne voit pas ne le dérange pas, répliqua Gaylynn.

A l'adresse de Ma Battle, elle ajouta :

— Je voudrais également le compotier bleu. Il fera très bien sur la table basse.

— Il est presque aussi grand que la table, s'esclaffa Hunter.

Croisant le regard furibond de Gaylynn, il s'empressa de changer de sujet.

— Comment va ce vieux Tom ? demanda-t-il à Ma Battle. A-t-il renoncé à faire de l'escalade ?

— Mon vieux chat adore grimper aux arbres, mais ensuite, il est incapable de redescendre car il a le vertige, raconta la vieille dame à Gaylynn. Hunter lui vient toujours en aide. C'est un amour.

— Hunter ou Tom ? demanda Gaylynn avec un demi-sourire.

— Les deux, assura Ma Battle. J'adore les chats, pas vous ?

— Elle en a déjà recueilli trois, répondit Hunter.

— Une maman siamoise et ses deux petits, expliqua Gaylynn. L'un est beige, l'autre est tigré.

— C'est inhabituel, s'étonna Ma Battle. Je me demande comment était le père.

— Et si c'était Tom ? demanda Hunter. Il faut se méfier de l'eau qui dort, vous savez.

Ma Battle lui assena une tape sur le bras.

— Ne dis pas de mal de mon vieux Tom.

A Gaylynn, elle demanda :

— Où avez-vous trouvé ces chats ?

— Dans le bois, tout près du chalet de mon frère.

— Tom ne s'aventurerait jamais aussi loin.

— Je n'en suis pas si sûr, murmura Hunter avec un sourire taquin. Quand on aime, la distance ne compte pas.

— Tu parles d'expérience, je suppose, railla Gaylynn.

— Un gentleman ne parle pas de ce genre de chose, répliqua-t-il l'air hautain.

— C'est vrai, marmonna Gaylynn sans pouvoir s'empêcher d'avoir le cœur serré à la pensée d'Hunter parcourant des dizaines de kilomètres pour rejoindre une autre femme.

— Ce sera tout ? s'enquit Ma Battle.

— Je vais m'arrêter là pour aujourd'hui, décida Gaylynn en prenant conscience des nombreux paquets qu'elle aurait à porter.

Lorsqu'ils sortirent dans la rue, Hunter insista pour porter ses achats et la raccompagner à sa vieille berline restée devant la Station Twitty.

— Merci pour ton aide, murmura Gaylynn en manquant de lui coincer les doigts dans le coffre, tant elle était pressée de mettre une distance raisonnable entre eux.

Aujourd'hui, ce n'était pas l'angoisse qui lui mettait les nerfs à fleur de peau et faisait cogner son cœur. C'était une heure passée en compagnie d'Hunter, à savourer son sourire chaleureux, à croiser son regard intense, à sentir son corps musclé frôler le sien à chaque pas.

Il était comme une boîte de chocolats que l'on doit regarder sans pouvoir goûter une seule bouchée, parce que l'on sait que c'est mauvais pour la ligne. Plus les secondes passaient, plus elle était tentée d'oublier toute prudence.

— A bientôt ! lança-t-elle en se précipitant derrière son volant.

Comme elle lançait le moteur, Hunter se pencha par sa vitre ouverte.

— Peux-tu me déposer à mon bureau ?

— C'est juste à côté, protesta-t-elle. Tu ne peux pas y aller à pied ?

Si elle restait encore une minute en sa compagnie, elle risquait de dire ou de faire quelque chose que la décence proscrivait.

— Porter tes paquets m'a épuisé, soupira Hunter avec une mine de chien battu. Mais puisque tu es pressée...

Elle ne put contenir un sourire.

— Quand tu fais cette tête, tu ressembles à Bo Regard.

— Me flatter ne te mènera nulle part.

Avec un soupir résigné, elle ouvrit la portière côté passager.

— D'accord, monte.

Impatiente de se soustraire à la tentation incarnée, elle démarra en trombe. Puis elle se souvint de la profession qu'exerçait son compagnon et elle ralentit prudemment.

Deux minutes plus tard, elle s'arrêtait devant le poste de police.

— Te voilà arrivé.

Ce supplice de Tantale touchait à sa fin. Elle allait pouvoir se reprendre et respirer normalement.

Son soulagement fut de courte durée.

— Il faut absolument que je te présente mon adjoint, déclara Hunter. Il sera vexé si tu pars sans le saluer.

Charlie Carberry s'avéra plus pressé d'aller déjeuner que de bavarder avec Gaylynn.

— Ravi de faire votre connaissance, marmonna-t-il avec un bref hochement de tête, avant de foncer prendre sa casquette sur la patère derrière la porte.

Juste avant de sortir, il ajouta pour Hunter :

— Comme tu as mangé au Café, je vais chez Hazel.

— Que voulait-il dire ? demanda Gaylynn lorsqu'elle se retrouva seule avec Hunter.

— Nous nous partageons entre les deux restaurants pour ménager les susceptibilités.

— Tu parles de la querelle entre les Rue et les Montgomery ?

Hunter hocha la tête. Mais, au lieu de s'étendre sur le sujet, il demanda :

— Que penses-tu de mon lieu de travail ?

— Colle quelques posters de Playmates et ce bureau ressemblera à ta cabane dans les arbres.

Cette repartie acide fit sourire Hunter. Il retrouvait la Gaylynn qu'il connaissait et aimait de tout son cœur.

« Aimait » ? D'où lui venait cette idée saugrenue ? Qu'est-ce qui n'allait pas chez lui ?

Tomber amoureux de Gaylynn serait comme s'asseoir sur un baril de poudre. Gaylynn allait bientôt regagner Chicago. S'il était assez stupide pour s'attacher à elle, il aurait le cœur brisé.

— Je n'ai pas droit à la visite complète ? demanda la jeune femme sur un ton de défi. C'est plus cher ?

Il l'imagina visitant entièrement son corps de ses longs doigts fins.

— Hunter ? s'inquiéta Gaylynn en surprenant son regard trouble. Tu vas bien ?

— Excuse-moi, je pensais à autre chose, marmonna-t-il en secouant la tête pour remettre de l'ordre dans ses pensées. Tu veux voir mes menottes ?

Ouvrant un tiroir, il agita une paire de menottes.

— Puis-je te les passer ? demanda Gaylynn.

Fasciné par l'éclat de son regard — était-il dû à la passion ou à l'excitation de se venger des nombreux tours qu'il lui avait joués quand il était adolescent —, il répondit sans réfléchir :

— Seulement quand nous serons dans un lit.

Gaylynn écarquilla les yeux. Pensait-il ce qu'il disait ou était-ce juste une boutade ? Ne trouvant pas de réponse sur son visage redevenu impénétrable, elle préféra changer de sujet.

— Je ne vois pas d'avis de recherche. Je croyais qu'il y en avait dans tous les postes de police.

— Je les ai affichés à l'épicerie, comme ça, tout le monde les voit. Betsie dit qu'elle a fort à faire pour empêcher Floyd de dessiner des moustaches aux dangereux criminels.

— Comme tous les hommes, Floyd est un grand enfant, railla Gaylynn.

Hunter laissa retomber les menottes dans le tiroir.

— Tu as vu tout ce qu'il y a d'intéressant, déclara-t-il. Il ne reste plus que la cellule.

Il ouvrit une porte au fond de la pièce.

— Comme tu vois, c'est presque un cagibi.

Gaylynn se mordit les lèvres. Voir Hunter dans son cadre de travail la rendait encore plus intensément consciente des risques qu'il courait chaque jour.

— Quelque chose ne va pas ? demanda Hunter.

Elle secoua la tête, se répétant que Lonesome Gap était une bourgade paisible et qu'Hunter n'était pas exposé aux mêmes dangers que lorsqu'il était policier à Chicago. Cependant, il suffisait qu'un fou armé d'un couteau...

Un violent tremblement la parcourut alors qu'elle s'aventurait dans les sables mouvants de ses souvenirs.

— Tu sembles fatiguée, commenta Hunter qui avait remarqué sa pâleur. Tu devrais rentrer te reposer.

La gorge serrée par l'angoisse, elle hocha la tête.

— Je passerai te voir en rentrant, si je ne finis pas trop tard, promit-il en lui caressant la joue.

Gaylynn s'était résignée à ne pas obtenir d'autres informations sur la bibliothèque tant qu'il était en ville et s'obstinait à réduire ses interlocuteurs au silence. Elle remonta donc dans sa voiture et prit le chemin du chalet.

Cependant, quand à la sortie de la ville elle remarqua une vieille pancarte sur laquelle on déchiffrait encore « Biblio... », elle fit demi-tour. Elle n'était pas à un quart d'heure près. Les chats pouvaient encore attendre leur dîner.

Le bâtiment de briques rouges était cerné par les mauvaises herbes. Des ronces et des orties recouvraient presque entièrement les marches qui menaient à l'entrée. Après avoir constaté qu'un cadenas fermait la porte à moitié vermoulue, Gaylynn remarqua que les volets d'une fenêtre étaient ouverts.

N'écoutant que sa curiosité, elle prit son élan et sauta, les mains tendues vers le rebord en pierre.

Alors qu'elle se hissait laborieusement sur ses avant-bras et collait son visage à la vitre opacifiée par la poussière, elle sentit deux bras de fer la ceinturer par la taille.

— Que fais-tu ici ? demanda Hunter avec sévérité.

7.

— Et toi, alors ? s'écria Gaylynn lorsqu'elle se remit de sa frayeur.

Comme si elle ne pesait pas plus qu'un fétu de paille, Hunter l'écarta de la fenêtre et la tint à une vingtaine de centimètres du sol.

— Je maîtrise un dangereux cambrioleur, répondit-il, placide.

Elle se tortilla pour lui échapper mais ne parvint qu'à se frotter contre lui.

— Vous résistez à un représentant de l'ordre, madame ? demanda Hunter d'une voix soudain mal assurée.

Elle s'efforçait surtout de résister à l'incendie qui avait jailli au plus secret d'elle-même dès l'instant où elle avait senti Hunter contre ses reins. Ainsi plaquée contre lui, elle ne pouvait ignorer qu'il la désirait.

Juste comme elle pensait défaillir de frustration, Hunter la posa à terre et la fit pivoter face à lui.

— Tu es dans de sales draps, chuchota-t-il sans la lâcher.

— Je sais, répondit-elle d'une voix rauque de désir contenu.

Le regard d'Hunter aurait pu faire fondre de l'acier. Sans plus réfléchir, elle noua les bras autour de son cou et l'embrassa comme elle avait tant envie de le faire.

La passion qui couvait entre eux flamboya, irrépressible et dévastatrice alors qu'ils se dévoraient mutuellement de baisers.

Tout en se perdant dans la chaleur veloutée des lèvres de sa compagne, Hunter resserra son bras autour de sa taille. De sa main libre, il parcourut la rondeur de sa gorge, s'émerveillant de la perfection avec laquelle ses seins épousaient la paume de sa main.

Emportée par l'avalanche de ses sensations, Gaylynn oublia où ils étaient, qui elle était. Seules comptaient la douloureuse tension qui se répandait dans son ventre, la passion avide avec laquelle Hunter remodelait son buste.

Lorsqu'Hunter glissa une main sous son T-shirt pour la caresser, elle soupira de soulagement et de bonheur. Enfin ! Enfin elle sentait ses mains légèrement rugueuses sur sa peau frémissant d'impatience ! Enfin il caressait ses seins alourdis par le désir.

Pour ne pas être en reste, elle s'attaqua fébrilement aux boutons de la chemise de son compagnon. Elle voulait le toucher partout, sculpter ses muscles, explorer son large torse, découvrir la texture de sa peau.

Elle avait défait deux boutons quand Hunter ourla de baisers légers le lobe de son oreille. Crispant les doigts sur son épaule, elle frissonna de plaisir. Jamais elle n'aurait pensé qu'un simple baiser sur l'oreille pouvait être aussi excitant. Personne ne l'avait jamais embrassée comme ça.

Mais elle voulait plus. Bien plus. Son désir était au paroxysme. Elle ne pouvait plus attendre. Elle plaqua une main impatiente au creux des reins de son compagnon.

Mais soudain, quelque chose d'humide et de glacé contre son dos nu dissipa le brouillard de passion qui l'entourait. Elle cria de surprise et se retourna d'un bond.

— Que… ?

Elle faillit ne pas reconnaître Bo Regard. Jamais elle ne l'avait vu debout et l'œil vif.

— Ça, alors, souffla-t-elle avec étonnement, je désespérais de voir un jour Bo entièrement réveillé.

— Il n'est pas le seul à être réveillé, marmonna Hunter en foudroyant le chien du regard.

Agitant le bras, il ordonna :

— Va te recoucher, Bo ! Tu nous déranges.

Le chien lui répondit par un aboiement bref et s'assit aux pieds de Gaylynn en agitant la queue.

— Que fais-tu ici ? interrogea la jeune femme.

— A qui parles-tu ? A Bo ou à moi ? demanda Hunter.

— Aux deux.

— Je ne sais pas pour Bo. Moi, je t'empêche de pénétrer par effraction dans un bâtiment public.

Gaylynn ignora royalement cette accusation.

— Qui a les clés de la bibliothèque ?

— Moi, mais tu…

— Tu tombes à pic, se réjouit-elle. Tu vas pouvoir m'ouvrir la porte.

Hunter leva la main.

— Gaylynn, tu n'as pas à te mêler…

— Si. Ouvre !

— D'accord, d'accord.

Hunter ouvrit la bouche comme s'il était dans le fauteuil d'un dentiste.

— Très drôle ! railla Gaylynn. Trêve de plaisanteries. Tu sais que je veux visiter la bibliothèque.

Hunter contint un sourire à grand-peine. Tout marchait comme sur des roulettes. Prenant soin de feindre une profonde réticence, il s'approcha de la porte en traînant les pieds.

— Je ne sais vraiment pas si je dois...

— Moi si, coupa Gaylynn. Allez, dépêche-toi.

— Pourquoi tant de hâte ? Ce bâtiment est fermé depuis cinq ans. Il ne va pas s'envoler.

Mais Gaylynn si, se rappela-t-il avec un serrement de cœur. Elle allait regagner sa ville natale très bientôt, il le sentait. Ces derniers jours, elle avait recouvré sa gaieté, son assurance, sa vivacité d'esprit, son sens de la repartie. Bref, elle était redevenue elle-même.

C'était ce qu'il avait voulu, non ?

Bien sûr, mais...

Refusant de s'apesantir sur ses sentiments contradictoires, il regarda la jeune femme alors qu'elle frottait de la main la pancarte poussiéreuse accrochée au mur.

— C'est Floyd qui a fait ce panneau dans les années 40, lui apprit-il. Il était un talentueux menuisier quand il avait bonne vue.

Dès qu'il ouvrit le cadenas et poussa la porte, Gaylynn voulut passer devant lui comme une flèche mais il la retint par le bras.

— Attention ! Il y a peut-être des couleuvres. Sans parler des souris et des araignées.

— J'ai vu toutes ces gentilles petites bêtes sur mon bureau à un moment ou à un autre.

— Vivantes et en liberté ?

— La plupart du temps, dit-elle avec un léger sourire en se remémorant les tours que lui avaient joués ses élèves facétieux.

En fait, Hunter avait déjà inspecté l'intérieur de la bibliothèque la veille, pour s'assurer que Gaylynn ne courrait aucun danger si, comme il l'espérait, elle cédait à sa curiosité.

Durant quelques secondes, la jeune femme eut l'impression de se trouver dans une maison décorée pour Halloween. Il y avait des toiles d'araignées partout. Tous les meubles, y compris la table et les chaises, étaient protégés par des draps qui leur donnaient un aspect fantomatique. La pendule sur le mur était arrêtée à 3 h 03.

Entre deux éternuements causés par la poussière, Gaylynn s'exclama :

— Seigneur !

Même Bo parut effaré par l'état des lieux. Il se laissa tomber devant la porte, les yeux ronds, en toussant si fort qu'une de ses oreilles se coucha à l'envers sur l'autre. Il était si comique que Gaylynn éclata de rire.

Bouleversé par le son mélodieux de son rire, Hunter faillit la ramener dans ses bras pour l'embrasser.

« La séduire ne fait pas partie de ton plan » lui rappela vertement sa raison.

Pressé de mettre un terme à leur tête-à-tête dans un endroit isolé, il demanda :

— Tu en as vu assez ? Nous pouvons partir, maintenant ?

— Où sont passés les livres ?

— Il me semble qu'ils ont été confiés au Comité de bienfaisance.

— Je vais me renseigner auprès de Ma Battle, murmura Gaylynn. Ensuite, je…

À son front plissé, Hunter devina qu'elle faisait quantité de projets.

— Tu n'es pas venue à Lonesome Gap pour travailler, rappela-t-il pour la forme.

Gaylynn lui tapota gentiment la joue.

— Ne t'inquiète pas pour moi, je suis en pleine forme. Tu n'as qu'à me laisser la clé et retourner travailler. Je remettrai le cadenas en partant.

Hunter jubila en secret. Son plan fonctionnait à merveille.

— Comme tu voudras. Je laisse Bo Regard te tenir compagnie. Soyez sages, tous les deux.

Incapable de résister à la tentation, il enlaça la jeune femme et planta un baiser sonore sur sa bouche.

— C'est bon de te retrouver, chuchota-t-il.

Une seconde plus tard, il était parti.

— Cet homme me rend folle, confia Gaylynn à Bo Regard.

— J'ai tout entendu ! cria Hunter du bas des marches.

— Tant mieux ! répliqua-t-elle pour avoir le dernier mot. Je tenais à ce que tu le saches.

Restée seule, elle se concentra sur ce qui devait être fait pour pouvoir rouvrir la bibliothèque : nettoyer, ranger, retrouver les livres et le fichier, laisser des affichettes dans tous les commerces pour inviter les anciens adhérents à revenir...

— Je pensais bien avoir reconnu votre voiture, dit soudain Betsie Twitty.

En réponse au regard interrogateur de Gaylynn, elle expliqua :

— J'ai laissé Floyd s'occuper du magasin et je suis venue m'assurer que vous alliez bien.

Après avoir enjambé Bo Regard, elle lui caressa affectueusement la tête.

— Alors, Bo. Tu deviens curieux comme moi en vieillissant ?

— C'est parce qu'il est vieux qu'il est si… sédentaire ? demanda Gaylynn.

— Je n'avais jamais entendu parler de cette maladie.

Gaylynn contint un sourire.

— Elle atteint aussi les humains.

Betsie se redressa et regarda autour d'elle.

— Que pensez-vous de notre bibliothèque ?

— L'endroit est un peu décrépit mais cela peut facilement s'arranger avec de la bonne volonté, affirma Gaylynn sans hésiter. Dites-moi, qui bénéficierait le plus de sa réouverture ?

— Les enfants, bien sûr, répondit Betsie sans hésiter. Ils adoraient venir après l'école et les jours où miss Russell leur lisait des histoires.

— D'après Hunter, le Comité de bienfaisance s'est chargé de stocker les livres.

— C'est exact, confirma Betsie. J'en suis membre, ainsi que Ma Battle.

— Le Comité accepterait-il de m'aider à remettre la bibliothèque en état ?

— Pour quoi faire ?

— Pour la rouvrir, bien sûr.

— Vous vous en chargeriez ? Quelle merveilleuse idée ! se réjouit Betsie.

Hochant la tête, elle murmura :

— Hunter est très malin. Tout s'arrange comme il l'avait prévu.

Gaylynn fronça les sourcils.

— Que voulez-vous dire ?

— Rien, rien...

Rouge d'embarras, Betsie haussa les épaules.

— Je deviens vieille. Je ne sais plus ce que je dis.

Gaylynn refusa d'être dupe.

— D'après vous, Hunter avait prévu que je voudrais m'occuper de la bibliothèque ?

— Tout le monde en ville l'espère, biaisa Betsie.

Evitant le regard de sa jeune interlocutrice, elle se dirigea vers la sortie.

— Il me semble que Floyd m'appelle. Je dois partir.

— Je n'ai rien entendu, protesta Gaylynn.

— Une femme sait toujours quand son mari a besoin d'elle.

La vieille dame revint vers Gaylynn et la serra affectueusement dans ses bras.

— Je suis si contente que vous acceptiez de nous aider. Dites-moi juste quand vous voulez que le Comité organise un grand nettoyage et je battrai le rappel des troupes.

Puis elle courut vers la sortie.

— Une femme sait toujours quand son mari l'appelle. C'est ça, maugréa Gaylynn. Une femme sait surtout quand elle s'est fait piéger, oui !

Maintenant, elle comprenait l'attitude étrange d'Hunter, ses airs mystérieux, ses réponses évasives quand elle avait voulu en savoir plus sur les problèmes dont elle ne devait pas se mêler...

Il avait sciemment aiguisé sa curiosité, sachant qu'elle ferait exactement le contraire de ce qu'il lui conseillait.

— L'hypocrite ! cria-t-elle, si fort que Bo Regard leva la tête et ouvrit les deux yeux à la fois.

Et les baisers qu'ils avaient partagés un peu plus tôt ? Faisaient-ils également partie de son plan ? se demanda-t-elle le cœur serré.

D'accord, c'était elle qui l'avait embrassé en premier, mais il lui avait répondu sans se faire prier, non ? D'un autre côté, comment était censé réagir un homme viril et passionné quand une femme se jetait à son cou ?

Car Hunter était on ne peut plus viril et passionné. Et même carrément torride. Il allumait dans ses veines une passion incendiaire. Et quand il la plaquait contre lui, quand il lui caressait les seins...

Consciente que son esprit s'égarait, Gaylynn se sermonna sévèrement. Elle ne devait pas penser à ses sentiments pour Hunter pour l'instant.

— Tu es brillant, je l'admets, murmura-t-elle quand elle lui rendit les clés une demi-heure plus tard.

— Tu te réfères à quelque chose en particulier ? demanda-t-il d'un air innocent, ou tu viens juste de te rendre compte que je suis intelligent ?

Pour toute réponse, elle lui sourit et l'embrassa sur la joue. Voir son air perplexe la rasséréna. Elle aurait détesté être la seule à avoir les pensées et les émotions en tumulte.

Elle s'apprêtait à remonter dans sa voiture quand Hunter l'appela.

— Au fait, Ma Battle te cherche. Elle a fermé la Galerie pour le reste de la journée et elle aimerait que tu passes chez elle, c'est juste à côté de la Station Twitty.

Après une courte pause, il précisa d'un ton hésitant :

— Je crois qu'elle veut te parler des livres de la bibliothèque.

Contrairement à ce qu'Hunter espérait, Gaylynn ne fit aucun commentaire qui pût lui confirmer qu'elle avait eu vent de son stratagème.

— D'accord. J'y vais toute de suite.

Resté seul, il secoua la tête.

— Les femmes !

Le salon de Ma Battle était un joyeux capharnaüm. Il y avait des collections de toutes sortes partout : des boîtes en porcelaine sur un guéridon, des bouchons de carafes en cristal sur des tables gigognes, des montres anciennes sur le manteau de la cheminée.

La bibliothèque était remplie de coupes et de trophées. Quant à la table de la salle à manger, elle disparaissait sous une montagne de dossiers et de classeurs.

— Je tiens les comptes du Comité, expliqua Ma Battle quand elle surprit le regard intrigué de sa visiteuse. Et bien sûr, je garde une copie de toutes les réponses que j'envoie aux concours de mots croisés. Contrairement à ce que prétend Boone Twitty, il m'arrive de gagner. Même une poule aveugle trouve un ver de temps en temps.

Gaylynn haussa les sourcils.

— Pardon ?

— C'est un dicton d'ici qui signifie que tout le monde a de la chance à un moment ou à un autre. Vous voyez cette lampe avec un pied en coquillage sur le secrétaire ? Je l'ai gagnée l'an dernier à un concours de mots fléchés. Quant au verre que vous tenez à la main, c'était le premier prix d'un concours de mots codés.

Ma Battle avait servi du thé glacé à Gaylynn dès son arrivée.

— C'est du vrai cristal, précisa-t-elle avec fierté. Mais, je vous en prie, asseyez-vous, ma chère.

Voyant que sa visiteuse admirait l'édredon qui recouvrait le canapé, elle confia :

— J'aimais beaucoup coudre quand j'étais jeune. J'ai confectionné un édredon pour chacun de mes cinq enfants et de mes quinze petits-enfants. On dit que, quand une jeune fille dort pour la première fois sous une nouvelle couette, elle va rêver de celui qu'elle épousera.

« C'est moins risqué que de tomber amoureux de celui que l'on regarde », pensa Gaylynn avec un sourire ironique.

— Autrefois, les membres du Comité se réunissaient deux fois par semaine, pour faire des travaux de broderie et de couture. Maintenant, nous nous voyons surtout pour passer le temps, échanger les derniers potins.

Ma Battle secoua la tête.

— Mais je ne vous ai pas fait venir pour parler couture. Tout à l'heure, Betsie m'a appelée pour m'annoncer que vous alliez rouvrir la bibliothèque.

Les nouvelles allaient décidément très vite à Lonesome Gap, s'émerveilla Gaylynn.

— Si quelqu'un accepte de m'aider à tout nettoyer. Et si je parviens à retrouver les livres, dit-elle prudemment.

C'était la première phrase qu'elle parvenait à placer depuis son arrivée chez la volubile vieille dame.

— Nous viendrons toutes avec des seaux et des balais le week-end prochain, affirma Ma Battle. Quant aux livres, nous les avons remisés dans trois caves : la mienne, celle de Hazel Rue et celle de Lillie Montgomery.

— Je croyais que les deux familles étaient fâchées ?

— Justement, en confiant autant de livres à Hazel qu'à Lillie, j'ai ménagé les susceptibilités.

— De combien de livres s'agit-il ? voulut savoir Gaylynn.

Ma Battle haussa les épaules.

— Je ne les ai pas comptés. Il doit y avoir une trentaine de cartons dans chaque cave.

— Nous allons d'abord préparer le bâtiment et nettoyer les étagères, ensuite, nous rapporterons les livres, décida Gaylynn. Mais je ne pourrai pas travailler à la bibliothèque à plein temps. Il faudra trouver un autre bénévole pour me relayer.

— Comme vous voudrez, très chère.

Gaylynn s'abstint de préciser que sa présence à Lonesome Gap n'était que temporaire. Elle avait contribué à suffisamment de projets bénévoles pour savoir qu'une fois la première impulsion donnée, les choses suivaient tout naturellement leur cours.

Quand la bibliothèque serait lancée, les habitants de Lonesome Gap s'en sortiraient très bien sans elle.

Mais elle, saurait-elle se débrouiller sans eux ?

— Comment vas-tu ? s'enquit Brett.

— Bien, répondit automatiquement Gaylynn.

Elle avait appelé sa belle-sœur parce qu'elle éprouvait le besoin de parler avec une femme de son âge.

— Tu arrives à t'occuper ? Les journées ne sont pas trop longues ?

— J'ai commencé à redécorer la chambre et le salon. Et puis j'ai de la compagnie. J'ai recueilli une chatte et ses deux petits. Le vétérinaire les a vaccinés cet après-midi.

Tout en parlant, Gaylynn sourit à Bleuet et à Froussard qui dormaient sur le canapé, blottis contre leur mère.

— Tu devrais les voir, Brett. Ils sont adorables.

— Et que fais-tu, à part aménager le chalet pour des chats errants ?

Gaylynn s'abstint de mentionner qu'elle s'était investie dans le projet de réouverture de la bibliothèque. Après tout, rien n'était encore vraiment décidé. Elle allait attendre de voir comment se passait l'opération nettoyage avant d'annoncer quoi que ce soit.

— Je me suis mise au dessin, ce qui est étrange car je n'ai jamais eu de don artistique. Ce doit être l'effet magique des montagnes.

— Ou celui du coffret, dit gravement Brett. Tu te souviens que Michael ne connaissait rien aux bébés ? Après avoir ouvert le coffret, il a été merveilleux avec Hope. Et maintenant, partout où nous allons, les enfants lui tendent les bras. C'est incroyable.

— Le coffret a peut-être permis à Michael de savoir s'occuper d'un bébé pour vous réunir. Mais je ne vois pas en quoi le fait de savoir peindre peut m'aider à trouver l'âme sœur.

— Tu le comprendras un jour, affirma Brett avec conviction. D'ailleurs, quelque chose a peut-être changé dans ta vie sans que tu t'en rendes compte depuis que tu dessines.

— Je prête plus d'attention aux détails, admit Gaylynn. Je remarque les moindres beautés de la vie.

Tout en parlant avec sa belle-sœur, elle s'était mise à crayonner machinalement sur une feuille de papier. A sa grande surprise, elle s'aperçut que les lignes qu'elle traçait au hasard représentaient le visage viril d'Hunter.

— En fait, reprit-elle, je t'appelle parce que j'ai besoin de parler de femme à femme.

— Toi, tu as un problème de cœur, devina Brett.

— Ce que j'aime chez toi, c'est que tu es très intuitive. La preuve : tu as su comprendre Michael, et Dieu sait combien il est compliqué.

— Tu peux le dire, acquiesça Brett en riant. Alors, dis-moi, qui as-tu rencontré après avoir ouvert le coffret ?

Gaylynn soupira longuement.

— Les choses ne sont pas si simples.

— Tu as ouvert le coffret, non ? insista Brett.

— Oui, mais rien ne s'est produit.

— Tu n'as vu personne ?

— J'ai seulement aperçu un vieux clochard.

— Seigneur !

— Je ne l'ai plus jamais revu, se hâta de préciser Gaylynn. Et je ne suis pas éperdument amoureuse de lui. En revanche, j'ai... un faible pour quelqu'un d'autre.

— Qui ça ? interrogea Brett avec curiosité.

— Hunter Davis.

— Le meilleur ami de Michael ? Celui qui surveille le chalet pour nous ?

— C'est ça.

— Il n'est pas marié, au moins ? s'inquiéta Brett qui connaissait manifestement elle aussi l'histoire tragique du suicide de la femme adultère et de son amant.

— Il est divorcé, précisa Gaylynn. Soit dit en passant, Michael aurait pu m'en parler.

Brett eut un petit rire.

— Ton frère a encore des progrès à faire dans le domaine de la communication. Mais j'y travaille.

— A propos, où est Michael ?

Gaylynn se traita mentalement de tous les noms pour ne pas avoir posé la question plus tôt. Elle ne tenait pas à ce que son frère entende ses confidences. Elle soupira de soulagement quand Brett lui apprit :

— Il a emmené Hope au jardin.

— Donc il ne risque pas d'écouter aux portes, se réjouit Gaylynn. A ton avis, que dois-je faire en ce qui concerne Hunter ?

— Si tu me disais d'abord quel est ton problème ?

— C'est juste que...

Gaylynn réalisa soudain qu'elle ne pouvait exposer ses appréhensions sans relater l'agression dont elle avait été victime. Or, si Brett apprenait ce qui lui était arrivé, elle se sentirait obligée de le raconter à Michael, qui le répéterait à leurs parents...

— Je crois que je suis en pleine crise de la trentaine, biaisa-t-elle. Je ne sais pas quoi faire de ma vie.

— Et avec Hunter, qu'as-tu envie de faire ?

— Je suis très tentée de me blottir dans ses bras et d'y rester pour toujours, avoua Gaylynn avec un rire gêné.

— Et alors ? Il est divorcé, tu es libre. Je ne vois pas où est le mal.

— Hunter n'éprouve sans doute pas les mêmes sentiments que moi. Je pense que, s'il passe tous les jours me voir, c'est uniquement parce que Michael lui a demandé de le faire.

— As-tu seulement envisagé qu'il puisse être amoureux de toi ? demanda Brett.

— Dernièrement oui.

Les baisers qu'ils avaient échangés dans le bois et à la bibliothèque n'avaient rien d'amical. Et cette lueur qu'elle surprenait parfois dans le regard d'Hunter...

— C'est justement pour cela que j'ai besoin de tes conseils, soupira Gaylynn. Je ne suis pas sûre de vouloir nouer une relation sérieuse. Hunter est policier et... et...

— Cela t'ennuie, devina Brett.

— Cela me fait terriblement peur. Je sais qu'ici il ne court pas les mêmes dangers qu'un policier de Chicago. Pourtant...

Elle eut un soupir excédé.

— Je déteste être si peureuse !

— Je ne te connais pas depuis longtemps, admit Brett, mais tu ne me fais pas cette impression.

— Comment me vois-tu ?

— Comme quelqu'un qui aurait temporairement perdu ses repères.

— Bingo, chuchota Gaylynn.

— Veux-tu m'en parler ?

— Une autre fois, peut-être.

Sentant la réticence de sa belle-sœur, Brett comprit qu'il valait mieux ne pas insister.

— Revenons-en à Hunter. Es-tu amoureuse de lui ?

— Le moins qu'on puisse dire, c'est que tu ne tournes pas autour du pot, commenta Gaylynn avec un rire gêné.

— Je ne vois pas l'utilité d'alourdir ta note de téléphone, plaisanta Brett. Alors, l'aimes-tu ?

Après une légère hésitation, Gaylynn confia :

— J'étais amoureuse folle de lui quand j'étais adolescente. Mais les années ont passé, il s'est marié, nos vies ont pris des chemins séparés.

— Et tu l'as oublié.

— C'est ce que je croyais. Mais maintenant, je n'en suis plus si sûre. Je me rends compte que je l'ai toujours comparé aux autres hommes que je rencontrais...

— Et qu'aucun ne soutenait la comparaison, acheva Brett d'un ton entendu.

— Comment le sais-tu ?

— Tu as une voix très révélatrice. Et quand tu parles d'Hunter...

— C'est vrai, je suis amoureuse de lui.

Gaylynn ferma les yeux. Voilà, elle l'avait dit.

— C'est la première fois que je l'admets à voix haute. C'est effrayant.

— Moi aussi, j'étais angoissée quand je me suis avoué que j'aimais Michael, s'efforça de la réconforter sa belle-sœur.

— Dans ton cas, c'était réciproque.

— A l'époque, je l'ignorais.

Brett soupira longuement.

— C'est dommage que tu n'aies pas vu Hunter quand tu as ouvert le coffret. L'as-tu rouvert depuis ?

— Non, mais Hunter l'a pris dans ses mains l'autre soir.

— As-tu remarqué quelque chose d'insolite à ce moment-là ?

— Je suis aveugle et sourde dès qu'Hunter est près de moi, se lamenta Gaylynn en caressant les chatons qui venaient de se réveiller et se frottaient à ses jambes en ronronnant.

— Si tu aimes Hunter, tu devrais tâter le terrain de son côté, suggéra Brett.

A cet instant, Froussard, d'ordinaire timoré et effacé, se mit en tête de pourchasser un Bleuet stupéfait par tant d'audace. Ce renversement des rôles fit naître une idée dans l'esprit de Gaylynn : si elle cessait elle aussi de se laisser dominer par ses craintes pour se lancer à la conquête de ce qu'elle voulait ?

— Tu ne sauras jamais ce qu'il éprouve pour toi si tu ne vas pas aux nouvelles, insista Brett à l'autre bout du fil.

Devant le silence prolongé de sa belle-sœur, elle demanda :

— Gaylynn, tu es toujours là ?

— Excuse-moi, murmura Gaylynn. Je réfléchissais. Je sais ce que je vais faire. Cela m'est venu d'un coup.

— Dis-moi tout.

— Je vais séduire Hunter Davis.

En arrivant devant la bibliothèque le samedi matin, Gaylynn eut l'agréable surprise de trouver une bonne trentaine de personnes — soit presque toute la population de Lonesome Gap — rassemblées dans la cour.

Parmi elles, elle reconnut Floyd et Betsie Twitty, leur petit-fils Boone, Darlène, la serveuse du Café et, bien sûr, Ma Battle.

L'ambiance était joyeuse et décontractée. Circulant entre les tables de pique-nique recouvertes de nappes de papier jaune pour la circonstance, les femmes servaient du café et des muffins.

De leur côté, les hommes aidaient les enfants à arracher les mauvaises herbes et les ronces.

Hunter était venu, lui aussi. La brise légère ébouriffait ses cheveux dans lesquels le soleil complice faisait danser des reflets bleutés. Ses lunettes d'aviateur cachaient ses yeux, mais son sourire taquin suffit à faire chavirer le cœur de Gaylynn.

— Je ne pensais pas te voir, aujourd'hui, dit la jeune femme.

— Je n'aurais manqué cet événement pour rien au monde. Viens, je vais te présenter à quelques personnes.

Les « quelques personnes » étaient une bonne douzaine, toutes parentes avec Hunter. En dépit de ses efforts, Gaylynn ne parvint pas à retenir leurs noms.

— Combien de cousins as-tu dans cette ville ? demanda-t-elle à Hunter après avoir embrassé ce qui lui sembla être le vingtième parent.

— Pas autant qu'avant, soupira-t-il. Certains ont déménagé.

— Moi qui pensais venir d'une grande famille, murmura Gaylynn en secouant la tête.

— Je suis le seul fils unique du clan Davis.

— Mais tu as assez de cousins pour compenser l'absence de frères et sœurs.

— As-tu remarqué notre air de famille ?

— Je ne leur ai pas parlé assez longtemps pour savoir s'ils étaient aussi charmeurs que toi, répliqua Gaylynn avec un sourire gentiment moqueur.

— Ce n'est pas une manière de parler à un représentant de la loi.

Le sourire d'Hunter aurait dû être déclaré illégal car il était plus enivrant que des dizaines de verres de whisky, songea Gaylynn. Lorsqu'il était en civil, vêtu d'une chemise blanche et d'un jean élimé, elle oubliait le métier à risques qu'il exerçait et elle se laissait facilement envoûter par sa bonne humeur et son flegme charismatique.

En fin de matinée, toutes les toiles d'araignées avaient disparu, le parquet avait retrouvé sa blondeur d'origine, les vitres des fenêtres étincelaient de propreté, les étagères étaient dépoussiérées et cirées, prêtes à recevoir les premiers livres.

— Les choses prennent tournure, se réjouit Gaylynn avec un sourire ravi. Tout sera bientôt magnifique.

— Je connais quelqu'un qui l'est déjà, chuchota Darlène qui passait un chiffon sur la lampe de cuivre du bureau. Hunter.

Hunter et un de ses cousins achevaient de déplacer une lourde étagère. Comme il faisait chaud, ils avaient ôté leur chemise. Le soleil illuminait les épaules et le dos lisse d'Hunter, soulignant leur hâle.

— Si je n'étais pas mariée, je fondrais. Vous voyez ce que je veux dire ?

Gaylynn voyait tout à fait. Une chaleur insidieuse s'était emparée d'elle tandis qu'elle contemplait la perfection sculpturale du corps d'Hunter. Pour dissiper son trouble, elle s'éventa machinalement avec une serviette. Puis, sentant qu'elle allait éternuer, elle se frotta le nez.

Darlène sourit avec malice.

— Vous savez ce qu'on dit par ici : quand on a le nez qui vous gratte, on peut s'attendre à avoir de la compagnie.

Gaylynn espéra de tout son cœur que l'adage était vrai. Comme si le ciel avait voulu exaucer ses prières, elle se retrouva juste devant Hunter quand elle fit la queue pour aller se servir au buffet pantagruélique que les membres du Comité avaient disposé sur des tréteaux pour le déjeuner.

Tout le monde avait apporté quelque chose : du poulet rôti, du ragoût de bœuf, des pâtes, des épis de maïs grillés, du jambon braisé, des saucisses, des salades, des tartes et des gâteaux. Et il y avait au moins dix pichets de limonade.

Au grand amusement de Gaylynn, Bo Regard s'était installé juste sous les plats de viande, manifestement pour n'avoir pas à bouger pour ramasser les miettes qui tomberaient.

A la fin du repas, un cousin d'Hunter se mit à jouer de la mandoline, bientôt accompagné par Floyd qui avait sorti son harmonica. La musique, les montagnes environnantes baignées de soleil, l'odeur d'herbe fraîchement tondue, les conversations animées, les rires joyeux des enfants, tout contribua à émouvoir Gaylynn aux larmes. Les habitants de Lonesome Gap ne bénéficiaient peut-être pas du confort et du niveau de vie tant prisés par les citadins, mais ils partageaient quelque chose de bien plus précieux : le sens de l'amitié et de l'entraide.

— Tu vas bien ? s'inquiéta Hunter qui était assis près d'elle.

Elle hocha la tête.

— J'ai entendu des joueurs de cornemuse en Ecosse, des guitaristes en Espagne. Mais ce concert improvisé au pied des Blue Ridge Mountains me bouleverse. C'est tellement beau que j'ai envie de pleurer !

— Les femmes ont toujours la larme facile, déclara Hunter.

Il gémit de douleur quand le coude de sa voisine s'enfonça sans ménagement dans ses côtes.

— Désolée, s'excusa Gaylynn avec un sourire acide. Tu disais ?

— Rien, rien, murmura-t-il.

Il fut récompensé de sa prudence quand son interlocutrice lui demanda :

— Que fais-tu ce soir ?

— Je suis de permanence.

— Demain soir aussi ?

— Non, pourquoi ?

— Je pensais cuisiner ton plat préféré : du poulet frit. Qu'en dis-tu ?

— Est-ce une simple éventualité ou une invitation en bonne et due forme ?

— La seconde hypothèse est la bonne, confirma Gaylynn.

124

— Dans ce cas, j'accepte avec joie.
— Parfait. Je t'attends pour 7 heures.

Hunter monta les marches de la véranda de sa voisine à 6 h 30. Il serait même arrivé encore plus tôt s'il n'avait pas changé trois fois de chemise et mis dix minutes à choisir un pantalon dans sa penderie.

Jamais il n'avait été aussi nerveux. Il avait l'estomac noué, les mains moites, son cœur palpitait à un rythme désordonné, comme s'il était un collégien se rendant à son premier rendez-vous.

Il était ridicule, il en avait conscience. Il allait juste dîner avec Gaylynn, la petite sœur de son meilleur ami, qu'il connaissait depuis toujours. Pourtant, il ne parvenait pas à contenir sa fébrilité.

Après avoir ajusté le nœud de sa cravate, il prit une profonde inspiration et frappa à la porte.

— J'arrive dans deux minutes ! cria Gaylynn.

Les nerfs à fleur de peau, il se laissa tomber sur le rocking-chair. Dès que la trotteuse de sa montre acheva son deuxième tour de cadran, il se releva d'un bond.

— Voilà, voilà ! répondit Gaylynn d'une voix essoufflée lorsqu'il tambourina impatiemment à sa porte.

Lorsque enfin elle parut devant lui, il en resta pantois.

8.

En se levant, ce dimanche matin, Gaylynn avait minutieusement planifié sa journée. Elle allait commencer par préparer le repas spécial qu'elle avait promis à Hunter, puis elle rangerait le chalet et elle couperait des fleurs fraîches pour décorer le salon et sa chambre. Elle aurait ensuite tout l'après-midi pour se faire belle.

La veille, elle avait choisi sa tenue et relevé dans un magazine la coiffure idéale : un chignon tressé sur la nuque, avec des boucles folles qui tombaient en savant désordre sur ses tempes.

A son grand désespoir, tout alla de travers dès qu'elle entra dans la cuisine. Pour commencer, Bleuet s'enfuit dans la cour après avoir chapardé une cuisse du poulet qu'elle venait de découper.

Ensuite, elle faillit mettre le feu au chalet en jetant les morceaux de viande trop farinés dans l'huile bouillante. Elle évita la catastrophe de justesse en étouffant les flammes avec des serviettes, mais elle dut se rendre à l'évidence : les morceaux de poulet carbonisés n'étaient pas récupérables.

Dans l'affolement du moment, elle avait complètement oublié la tarte qu'elle avait mise à dorer dans le four. Quand elle comprit d'où venait l'épaisse fumée noire qui envahissait de nouveau la cuisine, il était malheureusement trop tard.

Entre deux quintes de toux, elle ouvrit toutes les fenêtres et la porte d'entrée pour faire courant d'air et dissiper l'odeur âcre qui s'était répandue dans le chalet. Peine perdue ! La brise qui sévissait depuis quelques jours était retombée comme par malchance.

Sentant la panique la gagner, elle se rua sur son téléphone portable et appela le Lonesome Café. Le ciel n'était décidément pas de son côté. Le Café était fermé le dimanche, se souvint-elle après dix sonneries sans réponse. Et Chez Hazel, le plat du jour était une assiette de travers de porc sauce barbecue. Cependant, quand elle ne partait pas en promenade avec les membres du Comité de bienfaisance, Ma Battle cuisinait toujours du poulet frit le dimanche, l'informa la serveuse attendrie par sa détresse.

A son grand soulagement, Gaylynn trouva Ma Battle chez elle. La vieille dame confirma avoir préparé son plat dominical habituel. Elle pouvait dépanner Gaylynn, proposa-t-elle immédiatement quand celle-ci lui raconta ses déboires culinaires.

Le cœur beaucoup plus léger, Gaylynn courut à sa voiture. Mais, dans sa précipitation, elle noya le moteur et dut attendre une bonne dizaine de minutes avant de parvenir à démarrer.

Arrivée en bas de la montagne, elle faillit pleurer d'énervement en constatant qu'un pêcheur flegmatique s'était confortablement installé dans un fauteuil pliant, en plein milieu du pont. Ignorant ses coups de Klaxon rageurs, le pêcheur — qui se révéla être Boone Twitty —, attendit posément qu'un poisson daigne mordre à sa ligne pour lui libérer le passage.

Quand elle fit irruption chez Ma Battle, l'après-midi était déjà bien entamé.

— Vous n'aurez qu'à promener le plat de poulet dans toutes les pièces, suggéra la vieille dame avec malice quand Gaylynn lui confia ses inquiétudes concernant l'odeur de brûlé qui imprégnait le chalet de son frère. Et pensez à mettre un peu de désordre près de l'évier et sur la table, pour faire croire que vous avez passé toute la journée devant vos fourneaux.

— La cuisine est déjà sens dessus dessous, soupira Gaylynn avec découragement. Je dois m'estimer heureuse qu'elle n'ait pas été réduite en cendres comme mon dîner.

— Cela m'arrivait souvent quand j'étais jeune, la réconforta gentiment Ma Battle. Je vais vous donner une astuce : souriez amoureusement et mettez une touche de graisse de poulet derrière votre oreille pour mettre votre invité en appétit.

Indiquant un grand panier d'osier recouvert d'un torchon à carreaux rouges et blancs, elle annonça :

— Je vous ai également préparé de la purée de pommes de terre et une bonne tarte aux pêches.

— Mais... qu'allez-vous manger ?

— Ne vous inquiétez pas pour moi. Il me reste du rôti d'hier.

— Merci infiniment, dit Gaylynn en l'embrassant affectueusement. Vous êtes un amour. Vous êtes sûre que je ne peux pas vous payer... ?

— Trêve de balivernes ! coupa la vieille dame. Passez une bonne soirée avec ce voyou d'Hunter.

Gaylynn arriva chez elle à 16 heures passées. Après avoir nourri les chats pour éviter qu'ils ne soient alléchés par la bonne odeur qui se dégageait du plat de poulet frit de Ma Battle, puis perdu un temps précieux à remettre un semblant d'ordre dans le salon, elle courut à sa chambre se faire une beauté et enfiler la tenue qu'elle allait porter pour séduire Hunter : une robe du soir en crêpe parme brodée de minuscules fleurs lavande qu'elle avait achetée l'été précédent, se laissant convaincre par la vendeuse qui assurait que « la couleur flattait son teint clair et la longue jupe ample la grandissait ».

Après s'être examinée d'un œil critique dans la psyché de la commode, Gaylynn conclut qu'elle ne regrettait pas son achat. Elle se demandait toujours pourquoi elle avait emporté cette robe. Elle l'avait trouvée parmi les jeans et les ensembles de jogging qu'elle avait jetés pêle-mêle dans son sac de voyage avant de quitter Chicago.

C'était peut-être le destin.

Ou la magie tzigane.

Quoi qu'il en soit, elle se sentait belle, délicieusement femme et attirante…

Un coup frappé à la porte d'entrée la tira de son auto-satisfaction. Hunter était en avance !

— J'arrive ! Deux minutes.

Dieu merci, elle avait eu le temps de se sécher les cheveux et de se maquiller. Mais elle avait encore ses bigoudis chauffants sur la tête ! D'une main fébrile, elle les arracha et les jeta sur le lit, puis elle se donna un rapide coup de peigne et se résigna à laisser ses cheveux tomber librement sur ses épaules. Tant pis pour le chignon sophistiqué. Après tout, le look nature était à la mode, non ?

— J'arrive ! cria-t-elle quand Hunter parut s'impatienter et frappa de nouveau à la porte.

En passant en trombe devant la cuisine, elle vit du coin de l'œil le coffret magique sur le buffet. Elle s'arrêta net, prit la broche qu'elle y avait rangée et l'épingla à sa robe en se disant que, après les ennuis de la journée, elle avait bien besoin d'un peu de chance ; et que, si la magie pouvait l'aider, c'était le moment ou jamais.

Lorsqu'elle le fit enfin entrer, Hunter ne lui sourit pas avec sa malice coutumière. Il s'immobilisa devant la porte, le regard agrandi par la stupéfaction.

Le cœur de Gaylynn sombra. Etait-elle habillée trop élégamment pour la circonstance ? Ses projets de séduction étaient-ils aussi visibles sur son visage que le brillant framboise qu'elle avait appliqué sur ses lèvres ?

Elle n'allait pas reculer maintenant, décida-t-elle dans un sursaut de volonté. Pas après tout le mal qu'elle s'était donné pour plaire à Hunter et tenter d'éveiller dans son cœur des sentiments qui feraient écho aux siens.

— Tu es en avance, commenta-t-elle pour meubler le silence qui s'éternisait entre eux.

— Tu es magnifique, répondit Hunter lorsqu'il se remit de sa surprise.

Ce compliment rasséréna la jeune femme et lui redonna confiance en elle.

— Merci.

Hunter haussa les sourcils.

— Quelque chose sent bon.

— Le poulet, peut-être, suggéra-t-elle avec espoir.

— Non, plutôt…

Hunter continua d'humer l'air.

« Seigneur, faites qu'il ne remarque pas l'odeur de brûlé », pria Gaylynn.

— … la pêche ! déclara-t-il triomphalement.

— C'est normal. Il y a de la tarte aux pêches pour le dessert.

« Soyez bénie, Ma Battle ! »

Se penchant vers sa compagne, Hunter murmura ;

— Ce sont tes cheveux.

Gaylynn avait oublié qu'elle utilisait un shampoing parfumé à la pêche. C'était apparemment plus efficace pour attirer l'attention d'un homme que la touche de jus de poulet derrière l'oreille, pensa-t-elle avec humour en se remémorant la suggestion de Ma Battle.

Surprenant son sourire en coin, Hunter faillit l'attirer dans ses bras pour l'embrasser avec toute la passion qui déferlait dans ses veines. Elle était radieuse et belle à damner un saint avec cette robe qui caressait ses courbes sensuelles comme il rêvait de le faire.

Jamais encore elle ne s'était maquillée pour le recevoir. Ce soir, un trait d'eye-liner noir agrandissait son regard brun, une touche de rose rehaussait ses pommettes. Son brillant à lèvres framboise mettait sa bouche sensuelle en valeur et donnait à Hunter toutes sortes d'idées inavouables.

Mais déjà, Gaylynn se détournait et l'invitait à passer dans la cuisine.

— Le dîner est prêt.

— J'ai une faim de loup, murmura-t-il d'une voix rauque.

Gaylynn eut l'impression qu'il ne parlait pas de nourriture. Un délicieux frisson d'excitation courut sur sa peau. Bien. Très bien, se réjouit-elle mentalement. De toute évidence, la phase A de son projet de séduction était une réussite. Mais aussi, elle avait tout fait dans ce sens, allant jusqu'à « omettre » de fermer les boutons du devant de sa robe à des endroits stratégiques.

— Ai-je oublié quelque chose ? demanda-t-elle en étudiant la table dressée pour deux.

Posant sa serviette en papier sur ses genoux, autant pour se conformer aux bons usages que pour cacher le trouble qui l'avait envahi, Hunter s'efforça de ramener son regard à la hauteur du visage de son hôtesse.

Devait-il lui faire remarquer que sa robe était mal boutonnée ou devait-il se taire ? Si elle n'avait pas eu le temps de finir de se préparer à cause de lui, parce qu'il était arrivé trop en avance, il s'exposerait à des reproches acerbes...

Tout bien pensé, il ferait mieux de ne pas aggraver son cas. Et puis, si Gaylynn remédiait à la situation, il en serait le premier désolé. A chaque pas qu'elle faisait tandis qu'elle s'affairait dans la cuisine, il entrevoyait la dentelle coquine d'un soutien-gorge de satin blanc, et une cuisse joliment fuselée.

« Oui, tout bien réfléchi, le silence est d'or », décida-t-il sagement.

— Préfères-tu une cuisse ou un morceau de poitrine ? demanda Gaylynn.

Comme attiré par un aimant, le regard d'Hunter erra vers les pleins et les déliés nacrés qui se profilaient entre les pans de la robe fluide. Il fut tellement ébloui qu'il en oublia de respirer et de penser.

— Cuisse ou poitrine ? répéta patiemment Gaylynn.

— Les deux sont très appétissants, marmonna-t-il, les yeux rivés à la courbe d'un sein. J'en ai l'eau à la bouche.

— Tu m'en vois ravie, dit la jeune femme avec un sourire éclatant.

Tout en déposant devant lui un blanc et une cuisse de poulet, elle se pencha si bas qu'il eut une vue imprenable sur la vallée crémeuse de sa gorge.

Il fut soudain saisi d'un doute. Avait-elle volontairement laissé ces boutons défaits ?

— Comment trouves-tu mon poulet frit ? s'enquit Gaylynn quand ils commencèrent à manger.

— Délicieux. Il est aussi bon que celui de Ma Battle, déclara-t-il avec un hochement de tête approbateur. C'est te dire. Tout le monde à Lonesome Gap s'accorde à penser que Ma Battle fait le meilleur poulet frit de la région. Tu sais l'épicer juste comme il faut. Comme elle.

Sentant que la conversation prenait un tour glissant, Gaylynn s'empressa de changer de sujet.

— Quoi de neuf à ton travail ?

— La soirée d'hier a été mouvementée, mais c'est comme ça tous les samedis.

Gaylynn se mordit la lèvre. Avait-il risqué sa vie ? Lui avait-on tiré dessus ?

— Que s'est-il passé ? interrogea-t-elle d'une voix blanche.

— J'ai reçu une plainte téléphonique pour tapage nocturne. Des jeunes avaient un peu trop bu et se disputaient en pleine rue. Ils se sont dispersés dès mon arrivée mais l'homme qui m'avait appelé est sorti dans son jardin et s'est mis à hurler que j'avais mis trop de temps à arriver et qu'il en avait plus qu'assez d'être dérangé tous les samedis soirs.

Hunter leva les yeux au ciel.

— Evidemment, il a réveillé tous ses voisins. Alors, je lui ai ordonné de rentrer chez lui.

— Comment a-t-il réagi ?

— Il s'est retiré dans sa chambre mais il a continué à vociférer par la fenêtre. Il clamait qu'il était chez lui et que je ne pouvais rien lui reprocher.

Hunter leva les yeux au ciel.

— Pour finir, j'en ai eu assez.

— Qu'as-tu fait ?

— Il avait oublié que sa chambre est en rez-de-jardin. Je l'ai empoigné par le devant de sa chemise et je l'ai sorti de force dans la rue. « Tu es dehors maintenant », lui ai-je dit avant de lui passer les menottes.

— Tu avais le droit ?

Hunter haussa les épaules en riant.

— Bobby Ray et moi sommes de vieilles connaissances. Une fois dégrisé, il s'est excusé et je l'ai laissé rentrer chez lui.

Rassurée, Gaylynn se détendit et sourit. Sans y penser, elle effleura sa broche du bout des doigts. Voyant que son geste avait attiré l'attention de son compagnon sur son décolleté, elle se cambra à sa rencontre et demanda d'une voix douce comme du miel :

— Voudrais-tu un autre morceau ?

Durant une fraction de seconde, Hunter caressa l'idée d'emprisonner ses rondeurs si tentantes dans le creux de ses mains. Puis, il se traita de mufle pour seulement penser à se livrer à de telles privautés. Gaylynn n'avait pas touché sa broche exprès pour attirer son attention sur ses seins.

N'est-ce pas ?

Cependant, l'éclat de ses beaux yeux bruns l'amenait à se demander si tout compte fait…

Il s'interrogeait toujours sur les intentions de sa compagne quand celle-ci l'invita à aller s'asseoir dans le salon pour prendre le café avec la tarte aux pêches.

Espérant donner une nouvelle jeunesse au canapé de son frère, Gaylynn avait confectionné une housse bleue et blanche dans un tissu qu'elle avait trouvé à la Galerie des cadeaux.

Si l'esthétique avait été grandement améliorée, il n'en allait pas de même pour l'assise ; les coussins étaient toujours mous et déformés. Cependant, pour une fois, la jeune femme s'en réjouissait puisque Hunter et elle glissaient constamment l'un vers l'autre.

La réaction de son compagnon quand il l'avait vue dans sa jolie robe, sa fascination pour son décolleté et ses jambes, l'avait emplie d'assurance et confortée dans sa décision de le séduire.

Elle avait désormais la certitude que c'était lui qu'elle avait attendu toute sa vie. Et, à en juger par les baisers torrides qu'ils avaient échangés dans le bois et devant la bibliothèque, elle ne lui était pas indifférente.

Lorsqu'elle se pencha pour poser sa tasse vide sur la table basse, faisant en sorte de presser son sein contre le bras d'Hunter, elle eut la satisfaction de l'entendre retenir son souffle.

Ce n'était pas une illusion ? Elle le troublait vraiment ? Alléluia !

Le roulement de tonnerre qui résonna au loin dans les montagnes fit écho aux battements frénétiques de son cœur.

— Aimes-tu toujours autant les orages ? demanda Hunter d'une voix légèrement rauque.

Elle acquiesça d'un hochement de tête.

— J'adorais entendre mon père m'expliquer que le tonnerre, c'est Dieu qui ronfle.

Le cœur battant la chamade, Hunter la regarda lécher délicatement des miettes de tarte à la commissure de ses lèvres.

Lorsqu'il s'aperçut qu'elle en avait oublié une, le barrage de sa volonté céda d'un coup. D'une main tremblante, il essuya la bouche satinée. Une seconde plus tard, ses lèvres remplacèrent ses doigts, avides, possessives, exigeantes.

Gaylynn accueillit son baiser avec ferveur. Toutes les raisons pour lesquelles elle avait estimé devoir résister à son charme viril furent réduites en cendres par la passion dévorante qui explosait en elle.

C'était si juste, si parfait d'être dans les bras d'Hunter, de savourer ses baisers passionnés, de sentir son torse puissant écraser ses seins.

Un autre roulement de tonnerre accompagna la progression des doigts de son compagnon sur sa gorge. Elle se cambra vers lui avec un gémissement de plaisir alors qu'il atteignait enfin la pointe sensible d'un sein. Sans savoir comment, elle se retrouva étendue sur le canapé, prisonnière de son grand corps musclé.

Ainsi soudée à lui, elle sentit combien il la désirait. Sa passion décuplée par la certitude d'être voulue, elle céda à l'envie d'être encore plus près de lui, de sentir sa peau nue contre la sienne, de l'explorer et de le goûter de ses mains et de sa bouche.

Avec des gestes que l'impatience rendait maladroits, elle lui ôta sa cravate et déboutonna sa chemise tandis qu'il s'attaquait aux derniers boutons de sa robe et à son soutien-gorge.

Elle crut défaillir de volupté en sentant enfin ses paumes chaudes parcourir librement son buste. Avec un soupir de bonheur, elle se cambra vers la bouche hardie qui butinait ses épaules, dévalait la courbe d'un sein pour en mordiller la pointe déjà dure comme une perle de corail, et elle se délecta de la myriade de sensations exquises qui convergeaient vers son ventre en ondes de feu.

Puis, obéissant à un instinct venu de la nuit des temps, elle creusa les reins pour mieux épouser le corps viril de son compagnon…

… Juste avant de crier de douleur.

Alarmé, Hunter se redressa vivement.

— Qu'y a-t-il ?

Secouant la tête avec irritation, elle passa la main sous ses reins et retira une épingle restée sur le jeté de canapé.

— Rien de tel pour casser l'ambiance, maugréa-t-elle.

— Les choses me semblent pourtant en très bonne voie, déclara Hunter avec un sourire de prédateur.

— Fais-moi l'amour, chuchota-t-elle quand il reprit ses lèvres pour un baiser incendiaire.

Il se souleva légèrement sur les avant-bras pour scruter son regard.

— Es-tu certaine de le vouloir ? Ce n'est pas de la gratitude ou… ?

— De quoi devrais-je t'être reconnaissante ? demanda-t-elle en suivant du doigt le dessin de sa mâchoire. A cause de toi, je suis torturée par la frustration, et tu ne fais rien pour m'apaiser.

Son sourire provocant et sensuel dissipa les scrupules d'Hunter qui se leva d'un bond et la souleva dans ses bras comme si elle ne pesait pas plus qu'une plume. Avec un petit cri de surprise, elle s'accrocha à son cou tandis qu'il se dirigeait vers sa chambre à grandes enjambées.

Effrayés par l'orage, les chats s'étaient réfugiés au fond de la penderie. Mais Gaylynn n'entendait même plus les roulements de tonnerre assourdissants. Elle ne se rendit même pas compte que les lumières vacillaient puis s'éteignaient dans le salon et la cuisine. Alors que

Hunter la déposait doucement au milieu du lit et que de nombreux éclairs zébraient le ciel, seules comptaient la tornade qui faisait rage en elle, la passion que suscitait dans son cœur et dans son corps l'homme qu'elle avait attendu toute sa vie.

Tout en lui tendant les bras en une invite irrésistible, elle remercia silencieusement sa belle-sœur de lui avoir fait parvenir un certain colis en exprès avec un petit mot.

« Ton frère me tuerait s'il savait ce que je t'envoie. Mais je prends le risque, car, d'après ce que je sais de Lonesome Gap, il ne doit pas y avoir de pharmacie et je ne veux pas que tu renonces à tes projets audacieux uniquement parce qu'il te manque l'indispensable.

» Rappelle-toi que, si tu as besoin de parler à quelqu'un, je ne suis qu'à un coup de téléphone.

Brett. »

Betsie aurait probablement eu une attaque si elle avait su ce que contenait le paquet qu'elle avait remis à Gaylynn deux jours plus tôt.

Maintenant, c'était Gaylynn qui était sur le point de défaillir alors qu'Hunter passait sa main comme une flamme de son épaule à ses hanches. Sa robe et son soutien-gorge avaient disparu comme par enchantement. Seul son slip empêchait Hunter de s'aventurer plus loin à loisir.

Désireuse de savoir si le toucher serait aussi divin que savourer ses caresses, elle le débarrassa entièrement de sa chemise et se lança dans une exploration fiévreuse, découvrant avec ivresse la douceur satinée de son dos, la courbe de son épaule, les relief excitants de son torse, la légère rugosité de la toison qui descendait sur son ventre plat et se perdait sous son pantalon...

138

Insatiable, elle élimina cet obstacle. Elle remarqua à peine que les lumières du salon vacillaient puis s'éteignaient, plongeant la chambre dans la pénombre. Après avoir dessiné de lents cercles sur son ventre, la main de son compagnon se perdait entre ses cuisses...

Hunter avait perdu tout contact avec la réalité dès qu'il avait senti les mains de Gaylynn errer sur sa peau nue. Le corps et l'esprit en feu, il s'appropria sa chair humide de désir, découvrant avec ivresse ses plis intimes.

Pour ne pas être en reste, Gaylynn referma ses doigts autour de lui et imita ses va-et-vient voluptueux. Leurs regards se croisèrent et se tinrent, alors que, incapable de se contenir plus longtemps, Hunter s'arrachait à ses caresses trop excitantes et venait en elle.

Lorsqu'elle laissa échapper un gémissement de douleur, il se figea et la dévisagea avec stupéfaction et incrédulité.

— Ne t'arrête pas, supplia-t-elle.

Il aurait voulu lui poser mille questions, lui reprocher de ne l'avoir pas prévenu. Mais son cerveau refusait de fonctionner. Et la main exigeante plaquée sur ses reins, les hanches qui se soulevaient vers lui ne l'aidaient pas à reprendre ses esprits.

Submergé par la passion, il renonça à se retirer et continua ses assauts. Puis, faisant appel à tout son contrôle pour contenir le volcan qui menaçait d'exploser au creux de ses reins, il glissa une main entre leurs corps intimement soudés et entreprit de lentes caresses savantes.

Eperdu d'émotion et de fierté, il assista à la lente ascension de Gaylynn vers les cimes du plaisir. Il vit l'étonnement et l'émerveillement se succéder dans son regard, il perçut l'accélération de sa respiration avant qu'elle ne se tende comme un arc vers la jouissance.

Savoir qu'il venait de lui donner tant de plaisir alors qu'elle était vierge suffit à le précipiter à son tour dans l'abîme de la satisfaction ultime.

— Bleuet, reste tranquille ! Tu vas le réveiller.

En entendant ce chuchotement, Hunter émergea lentement des torpeurs du sommeil. Alors que les souvenirs de la nuit passée lui revenaient, il se demanda comment il avait pu s'endormir après avoir fait l'amour à Gaylynn.

Il avait eu l'intention de lui parler, mais, alors qu'il cherchait les mots justes pour exprimer les émotions qui se bousculaient dans son cœur, il avait fermé les yeux et…

Et maintenant, le jour se levait.

D'accord, il avait manqué de sommeil dernièrement, à cause du surcroît de travail qu'il avait effectué suite à l'accident survenu à son adjoint. Et aussi à cause des nuits blanches passées à prendre des douches froides pour apaiser le désir qui le consumait et à arpenter sa chambre et son salon en s'interrogeant sur les sentiments peu fraternels qu'il nourrissait pour Gaylynn. Cependant, rien ne pouvait excuser sa conduite.

— Ne saute pas ! ordonna Gaylynn.

Une seconde plus tard, Cléo atterrit sur lui et planta ses griffes dans son ventre. Il s'assit d'un bond, effrayant la chatte qui s'enfuit à toutes pattes.

— Tu lui as fait peur, lui reprocha Gaylynn.

— C'est réciproque, maugréa-t-il.

La jeune femme le dévisagea intensément, se demandant pour la millième fois où allaient les mener les instants magiques qu'ils avaient partagés. Elle savait qu'elle l'aimait.

140

Mais Hunter, qu'éprouvait-il pour elle ? Etait-ce un banal désir charnel ? Le début d'un sentiment plus profond ?

— Nous devons parler, déclara Hunter, le visage sombre.

— D'accord, dit-elle gentiment en s'asseyant au bord du lit, un toast de confiture à la main.

— Pourquoi ne m'as-tu pas dit... ? Pourquoi n'as-tu jamais... ?

A court de mots, Hunter s'interrompit et soupira longuement.

— Le célibat est à la mode, tu ne le savais pas ? le taquina Gaylynn.

— Je suis sérieux.

— Moi aussi. Crois-moi, de nos jours, il y a beaucoup plus de vierges qu'on ne le croit.

— Ce matin, il y en a au moins une de moins, marmonna Hunter.

— C'est certain.

Gaylynn mordit à belles dents dans son toast.

— As-tu faim ?

Il ne répondit pas. Le seul fait de la regarder lui donnait faim de passion, de plaisir.

Interprétant son silence comme un reproche, la jeune femme prit un air dégagé.

— C'est bientôt mon anniversaire. J'ai tout simplement décidé que je ne voulais pas être une vieille fille de trente ans.

Hunter ne la crut pas une seconde.

— Tu n'es pas le genre de femme à te donner à un homme que tu... n'aimes pas.

Il n'avait pas l'air d'un homme amoureux, constata Gaylynn en le dévisageant à la dérobée. Ou d'un homme qui voulait passer le restant de ses jours à la chérir. Il semblait plutôt torturé par les remords et les regrets.

— Si j'avais su que tu étais… Enfin, que tu n'avais pas…

— Le mot juste est « vierge », précisa-t-elle avec exaspération.

— Où penses-tu que cette relation va… nous mener ? demanda-t-il brusquement.

Ne voulant pas trahir l'espoir irrationnel qui l'animait, Gaylynn lui répondit par une question.

— Et toi ?

— Nulle part, déclara-t-il d'un ton sans appel. Tu vas bientôt rentrer à Chicago et moi, je resterai ici.

— Tu as raison, acquiesça-t-elle, même si, intérieurement, elle priait pour que l'avenir lui donnât tort.

Ils étaient faits l'un pour l'autre, elle le savait, chaque fibre de son être le lui assurait. Mais elle n'en convaincrait pas Hunter avec une déclaration enflammée, pas plus qu'elle ne pouvait l'obliger à lui rendre son amour.

Cependant, elle pouvait essayer de dissiper ses scrupules, et surtout faire en sorte que leur étreinte passionnée ne reste pas un incident isolé, un accident.

— Ne compliquons pas tout avec des promesses ou des projets à long terme, suggéra-t-elle d'un ton apaisant. Contentons-nous de profiter l'un de l'autre tant que je suis ici.

— Comme nous avons fait la nuit dernière ? C'est ça ? demanda Hunter sur un ton de défi.

Soutenant son regard sans ciller, elle hocha la tête.

— Exactement.

A son grand soulagement, son compagnon prit la main qu'elle lui tendait et déclara solennellement :

— Marché conclu.

Mais, alors même qu'Hunter acceptait les termes de leur relation, il continua de s'interroger sur ses sentiments. Il savait déjà qu'il éprouvait plus que du désir physique pour elle. Mais était-ce de la tendresse, de l'amour ?

Le fait était que Gaylynn était la femme la plus intelligente et la plus brillante qu'il ait jamais connue. Son ex-femme n'avait même pas eu son bac et n'avait jamais mis le pied hors de Chicago avant qu'ils s'installent à Lonesome Gap. Gaylynn en revanche avait fait des études, elle avait parcouru le monde. Elle méritait un compagnon digne d'elle.

D'accord, elle semblait se plaire ici, elle était sensible à la beauté des montagnes, elle appréciait les joies simples de la vie rurale et elle s'était facilement intégrée à la population de la vallée. Mais cela passerait, comme toujours avec les citadins. Tôt ou tard, ils partaient vivre ailleurs, dans une ville plus grande, plus animée.

Déjà, elle se remettait du traumatisme qui l'avait conduite à chercher la solitude et le calme. Comme il l'avait prédit, les incertitudes et les craintes de Gaylynn n'avaient été que temporaires, une réaction naturelle à un choc psychologique. Le courage de la jeune femme avait repris le dessus, elle était plus forte chaque jour.

La preuve : elle avait décidé de le séduire et de se donner à lui, et elle avait mis toute son énergie et sa détermination dans la réalisation de son projet.

Il n'avait certes pas eu besoin de beaucoup d'encouragements pour succomber à sa beauté et à sa sensualité car il combattait son attirance pour elle depuis le premier soir. Mais il était fermement résolu à ne pas approfondir les sentiments dangereux à la base de leur attirance, pour leur éviter à tous les deux de souffrir quand elle reprendrait le cours normal de sa vie.

Parce qu'elle allait rentrer à Chicago, elle venait de le lui confirmer.

Le cœur serré, Gaylynn lut ses doutes et ses scrupules sur son visage. Elle ne voulait pas qu'il nourrisse des remords sur ce qui s'était passé la nuit précédente. Elle n'était plus une enfant, elle avait eu les yeux grands ouverts quand elle s'était jetée dans ses bras. Jamais elle n'avait été naïve ou stupide au point de s'imaginer qu'après être devenu son amant il se jetterait à ses pieds et la supplierait de l'épouser.

En fait, elle n'était même pas sûre d'en avoir vraiment envie.

Tout était encore trop nouveau, elle ne voulait pas risquer de perdre le bonheur qu'elle venait de découvrir en l'étudiant de trop près.

Lorsqu'elle enlaça étroitement ses doigts à ceux d'Hunter, lui faisant prendre conscience qu'il lui tenait toujours la main, il ne put résister à l'envie de l'attirer tout contre lui et de savourer le goût de fraise de ses lèvres.

— Tu as une bouche et des yeux incroyables, s'émerveilla-t-il lorsqu'ils se séparèrent, hors d'haleine.

Comme toujours, leur baiser avait échappé à leur contrôle et s'était transformé en un déferlement de passion et de sensualité.

— Ils sont d'un marron très banal, répliqua Gaylynn en haussant les épaules.

Il secoua la tête.

— Les yeux ténébreux sont incroyablement sexy, tu ne le savais pas ?

— Pour ma part, je préfère les yeux verts, chuchota la jeune femme en plongeant dans les lacs émeraude de son regard.

D'une main légère, il effleura ses seins.

144

— A quel point ?

— Laisse-moi te montrer.

— Où dois-je déposer ces livres-ci ? demanda Boone qui entrait dans la bibliothèque, un carton dans les bras.

Comme tous les visiteurs, il fut contraint d'enjamber Bo Regard, qui avait pris l'habitude de passer toutes ses journées sur le paillasson de l'établissement.

— Laisse-moi voir, dit Gaylynn en se précipitant pour écarter les pans du couvercle.

— Ce carton vient de la cave des Rue, informa Boone comme si cela pouvait éclairer son interlocutrice.

— Ce sont des fictions reliées, constata Gaylynn après un rapide examen. Va les poser près de Stella. Elle va les déballer et les installer sur les étagères réservées à ce genre d'ouvrage.

Boone s'exécuta sans se faire prier.

— Je n'ai vu personne courir aussi vite depuis que Floyd s'est réfugié au sommet d'un arbre pour échapper à un ours quand il avait dix ans. Floyd, pas l'ours, précisa Ma Battle.

Comme chaque après-midi, elle était passée bavarder avec Gaylynn et l'intérêt que Boone portait à Stella n'avait pas échappé à son regard d'aigle.

— Je me demande si son zèle n'est pas motivé par la beauté de la petite Rue, murmura-t-elle en secouant la tête.

En surprenant le regard adorateur dont l'adolescent enveloppait Stella Rue, Gaylynn ne put s'empêcher de se poser la même question. Elle se souvint que le samedi précédent, quand la jeune fille s'était portée volontaire pour l'aider à réorganiser la bibliothèque, Boone s'était empressé de proposer ses services.

Stella était une adorable petite rousse au nez en trompette constellé de taches de rousseur, rieuse, serviable et très bien élevée. Gaylynn l'avait immédiatement appréciée. De toute évidence, Boone aussi.

— Il ne pourra rien y avoir entre ces deux-là, prédit Ma Battle.

— Pourquoi cela ? interrogea Gaylynn, étonnée par tant de pessimisme.

— Tout simplement parce que la maman de Boone était une Montgomery.

— Ne me dites pas que vous approuvez la querelle qui oppose ces deux familles !

Ma Battle haussa les épaules.

— J'essaie de rester neutre et je vous conseille d'en faire autant. Les Rue et les Montgomery ne sont pas réputés pour leur largesse d'esprit.

Le regard nostalgique, Ma Battle ajouta :

— Les Rue faisaient du bon whisky, dans le temps. Mais c'est un art qui se perd.

— Pourquoi ? voulut savoir Gaylynn.

— De nos jours, expliqua la vieille dame, il y a des moyens moins risqués de gagner sa vie. Je ne dis pas que les contrebandiers ont entièrement disparu, il doit bien en rester un ou deux dans la région, mais, avec la fin de la prohibition, le commerce du whisky est devenu beaucoup moins lucratif.

— Vous parlez comme une experte, remarqua Gaylynn.

— Mon grand-père cachait des centaines de caisses de whisky sous les épis de maïs qu'il portait à la ville voisine chaque semaine, confia Ma Battle.

— Il ne s'est jamais fait prendre ?

— Il a eu de la chance. En revanche, les Montgomery ont eu maille à partir avec les autorités à cause des Rue.

— C'est ce que j'ai entendu dire, se souvint Gaylynn. Mais cet incident remonte à des siècles. Heureusement, Boone ne semble pas nourrir de griefs à l'encontre de Stella, même si elle est une Rue.

— Ce jeune fou pense avec son cœur et non avec sa tête. Betsie et Floyd auraient une attaque s'ils savaient de quel côté souffle le vent.

A la fin de la semaine, c'était carrément un ouragan qui poussait les jeunes gens dans la délicieuse tourmente de l'amour naissant. Gaylynn en fut d'autant plus consciente qu'elle vivait la même aventure merveilleuse avec Hunter.

Non pas qu'il lui vouât l'adoration sans borne qu'elle lisait dans le regard de Boone dès que ce dernier se trouvait près de Stella. Cependant, Hunter en avait été très proche quand elle avait répandu de la crème chantilly sur son torse et son ventre pour ensuite l'essuyer avec des baisers audacieux et des coups de langue coquins.

Ce soir-là, Hunter avait été entièrement sous le charme, ébloui par sa conduite impudique, fasciné par la femme sensuelle qui se réveillait en elle.

Pour sa part, Gaylynn était de plus en plus consciente de la profondeur de son amour pour Hunter. Même en ce dimanche après-midi, alors qu'une douzaine d'enfants s'asseyaient en tailleur autour d'elle et attendaient qu'elle leur lise une histoire, elle ne parvenait pas à chasser Hunter de ses pensées. Il était pire qu'une drogue.

— Madame, madame ! Qu'est-ce que vous allez nous raconter ? demanda impatiemment un garçonnet en tirant sur le bas de sa jupe lilas.

— J'essaie de me décider, mentit-elle en baissant les yeux vers les deux livres posés sur ses genoux.

L'un rassemblait des légendes cherokee et appartenait à Hunter, l'autre était un recueil de contes tziganes qu'elle avait demandé à ses parents de lui envoyer quand elle avait décidé d'instaurer des après-midi de lecture pour les tout-petits.

En parcourant la table des matières, elle retrouva immédiatement son conte préféré : *La Poire d'or*. L'histoire des aventures des quatre princes qui, sur les conseils d'une vieille sorcière, se mettaient à la recherche de la poire magique qui soignerait leur père malade fut un franc succès.

Comme son jeune auditoire la suppliait de ne pas s'en tenir là, elle ouvrit ensuite le livre d'Hunter et chercha la légende cherokee que son amant lui avait racontée la veille après le dîner : *Pourquoi la queue de l'opossum est nue*, qui décrivait les dangers de la vanité.

Le seul fait d'évoquer Hunter la ramena à l'instant où celui-ci avait achevé son récit. Encadrant son visage de ses larges mains tendres, il l'avait embrassée sur les lèvres avec fougue, puis il l'avait attirée sur le tapis et ils s'étaient longuement aimés à la lumière des flammes dansant dans la cheminée, découvrant ensemble mille et une manières de se donner et de recevoir du plaisir…

— Alors ? s'impatienta un enfant en la tirant par la manche.

Marmonnant une vague excuse, elle revint au présent et commença.

— Il y a très, très longtemps, l'opossum avait une magnifique queue touffue. Il en était si fier qu'il la brossait chaque matin et vantait sa beauté à qui voulait l'entendre. Un jour, le lièvre, qui n'avait pas de queue depuis que l'ours la lui avait arrachée, en eut assez. Au comble de l'exaspération et de la jalousie, il résolut de jouer un bon tour à Possum...

... Tous les enfants riaient aux éclats quand Gaylynn arriva à la dernière page.

— Trop surpris pour trouver ses mots, l'opossum ne put que se rouler par terre et crier de toutes ses forces. Voilà pourquoi il se comporte encore ainsi de nos jours, conclut-elle.

Après avoir distribué un livre à chaque enfant, Gaylynn entreprit de mettre le fichier de la bibliothèque à jour. Elle avait déjà dactylographié dix-huit cartes sur une vieille machine Remington trouvée dans la cave de Ma Battle et à laquelle il manquait la touche de la lettre Z. Heureusement, jusqu'ici, aucun adhérent n'avait de Z dans son nom.

La collection de livres récupérée chez les trois membres du Comité de bienfaisance était impressionnante tant par son volume que par sa diversité. Cependant Gaylynn aurait aimé ajouter d'autres ouvrages, plus récents, notamment pour les enfants. Tout en rangeant les bandes dessinées que son jeune public avait laissées sur les tables, elle se promit mentalement de soumettre une demande de crédit à la municipalité de Lonesome Gap. Puis, s'apercevant que Boone et Stella se réfugiaient main dans la main derrière les livres de géographie pour pouvoir bavarder en toute tranquillité, elle s'éloigna discrètement à l'autre bout de la salle et décida de s'accorder une pause bien méritée pour relire les contes qui avaient bercé son enfance.

Lorsqu'elle prit le vieux livre relié de cuir, un morceau de papier s'en échappa. Elle le ramassa et lut : « La crainte appauvrit le cœur, l'acceptation des caprices du destin l'enrichit. »

Cet adage tzigane semblait avoir été écrit pour elle. Lorsqu'elle avait fui Chicago, sa vie et son cœur avaient été tristes et vides parce que dominés par la peur.

Mais ici, au milieu des montagnes majestueuses et sereines, parmi des gens hospitaliers et chaleureux, elle avait recouvré la paix de l'âme et de l'esprit. Elle avait enfin accepté la mort de Duane et s'était libérée du poids de sa culpabilité.

— La crainte appauvrit le cœur, chuchota-t-elle en suivant du bout des doigts les lignes écrites à l'encre violette.

Que faisait ce papier dans un livre qui dormait dans la bibliothèque de ses parents depuis des années ? Instinctivement, elle caressa la broche qu'elle avait pris l'habitude de porter chaque jour. Un sourire rêveur flotta sur ses lèvres alors qu'elle se souvenait avoir porté une première fois le bijou pour trouver le courage de mettre ses projets de séduction à exécution.

Elle ne savait pas exactement qui d'Hunter ou d'elle avait fini par séduire l'autre, mais au fond peu importait. Les nuits et les jours qui avaient suivi avaient été un feu d'artifice de sensualité, un tourbillon de passion mutuelle.

Ils avaient également été une manifestation d'amour inconditionnel de sa part.

Le regard de Gaylynn erra vers Boone et Stella qui s'étaient remis au travail et classaient les livres de géographie par ordre alphabétique. Ils n'étaient guère efficaces, constata-t-elle avec un sourire indulgent. A chaque livre rangé, ils se souriaient amoureusement et se chuchotaient de doux aveux à l'oreille.

— Stella ! Viens ici tout de suite ! ordonna soudain une voix masculine rocailleuse, si fort que Bo Regard délaissa son paillasson pour courir se cacher sous une table.

Un bruit de lutte et des imprécations étouffées suivirent. Quand Gaylynn se leva pour voir qui était à l'origine de ce remue-ménage, elle eut la surprise de voir Floyd tenter de franchir la porte d'entrée en même temps qu'un autre homme, plus jeune mais tout aussi trapu.

Bien entendu, chacun refusait obstinément de s'effacer et agrippait son côté du chambranle des deux mains tout en donnant force coups d'épaule et de pied à l'autre.

— Il ne manquait plus que ça, soupira Gaylynn avec consternation.

9.

— Boone Twitty ! Tu n'as pas honte ? vociféra Floyd en redoublant d'efforts pour passer le premier.

— Ote tes sales pattes de ma fille ! rugit l'autre homme.

Tels deux bouchons de champagne, ils fusèrent vers Gaylynn. Celle-ci avait déjà compris que l'adversaire de Floyd était Otis Rue, le père de Stella.

— C'est ta fille qui dévergonde mon petit-fils, protesta Floyd au comble de l'indignation.

Une courte mais féroce empoignade s'ensuivit. Gaylynn eut alors recours à la technique qu'elle avait peaufinée au fil des années pour ramener le calme dans une classe trop agitée. Portant deux doigts à sa bouche, elle émit un sifflement strident.

Les deux hommes réagirent comme ses élèves : ils se figèrent et tournèrent des yeux ronds vers elle. Un silence total retomba sur la bibliothèque.

— On se calme ! ordonna fermement Gaylynn. Que se passe-t-il ?

— Comme d'habitude, les Rue sèment la pagaille, accusa Floyd avec fureur.

— Ce sont les Montgomery, les fauteurs de troubles, ragea Otis.

Gaylynn se hâta de lever la main pour empêcher la reprise des hostilités.

— Nous sommes au vingt et unième siècle, vous savez. Les guerres de clans sont démodées.

Les deux belligérants la dévisagèrent comme si elle avait deux têtes.

— Et alors ? demanda Otis Rue.

— Je ne vois pas le rapport, déclara Floyd en même temps.

Ils avaient baissé d'un ton, constata Gaylynn avec satisfaction. Elle en profita pour poursuivre.

— Il est temps de mettre un terme à la querelle stupide qui oppose vos deux familles.

Floyd la fusilla du regard.

— Notre querelle n'est pas ridicule, protesta-t-il comme un enfant boudeur.

— J'ai peut-être mal choisi mes mots, concéda Gaylynn. Quoi qu'il en soit, vous devriez vous réconcilier.

— Pourquoi ? interrogea Otis Rue avec perplexité.

— Parce que vos différends font souffrir ceux que vous essayez de protéger : Stella et Boone.

Floyd croisa les bras et secoua la tête avec obstination.

— Nous ferons la paix quand les poules auront des dents.

— La denture des gallinacés n'est pas le problème, répliqua Gaylynn. Stella et Boone n'ont rien fait de mal.

— Peut-être pas du point de vue d'une citadine, admit Otis Rue, mais chez nous…

— Si vous persistez dans votre attitude puérile, vous risquez de ne pas voir la prochaine génération de Rue et de Montgomery, avertit Gaylynn. Pour pouvoir vivre leur amour en toute quiétude, Boone et Stella finiront par s'installer à Ashville ou ailleurs.

Le regard dur, elle demanda :

— C'est vraiment ce que vous voulez, tous les deux ? Ne croyez-vous pas qu'assez de jeunes ont quitté Lonesome Gap ? Ne vaut-il pas mieux leur donner envie de rester au lieu de les pousser à s'enfuir ?

Quand Floyd et Otis baissèrent la tête et se dandinèrent d'un pied sur l'autre avec embarras, Gaylynn sut qu'elle avait touché un point sensible.

— Je sais tout sur les guerres de clans, leur confia-t-elle. Croyez-moi, personne ne se querelle mieux que les Tziganes.

— Je ne connais pas ces Tziganes, marmonna Floyd. Ils sont d'ici ?

— C'est un peuple de nomades, on les appelle aussi Rom, ou gitans. Ma famille est issue de la branche hongroise.

Profitant de ce qu'elle avait l'entière attention des deux hommes, Gaylynn poursuivit :

— Juste avant votre arrivée, j'ai lu une légende aux enfants. Je pourrais vous en raconter une autre, selon laquelle un coffret magique a fait tomber amoureux deux jeunes gens de tribus adverses. Le mariage qui s'en est suivi a permis la réconciliation de deux familles en guerre depuis des siècles.

— Etes-vous en train de nous dire que Boone et Stella envisagent de se marier ? s'écria Floyd horrifié.

— C'est hors de question, décréta Otis.

— C'est vrai ! confirmèrent les deux amoureux en chœur. Nous voulons nous marier et avoir des enfants.

Prenant Stella par la main, Boone se campa devant les deux hommes.

— Gaylynn a raison, déclara-t-il. Si vous vous obstinez à perpétuer la querelle entre nos deux familles, nous nous enfuirons. Alors vous avez le choix : soit vous vous réconciliez et vous verrez vos enfants et petits-enfants, soit vous continuez de vous disputer et nous partons vivre ailleurs.

Les toisant d'un regard inflexible, il demanda :

— Alors, que choisissez-vous ?

— Eh bien... je..., balbutia Otis.

— C'est-à-dire que... vous..., bafouilla Floyd.

— Bravo ! s'écria Gaylynn en leur tapant amicalement sur l'épaule. Vous avez pris la bonne décision. J'ai su dès que je vous ai vus que vous étiez des hommes intelligents. Seuls les hommes avisés ont le courage d'oublier les querelles du passé pour regarder vers l'avenir.

— De quoi parle-t-elle ? demanda Otis à Floyd.

Celui-ci écarta les bras.

— Je ne sais pas. Tu sais comme les citadins sont compliqués. Ils ne parlent pas la même langue que nous.

— Que se passe-t-il ici ? demanda soudain Hunter depuis la porte. J'ai reçu un appel me prévenant qu'il allait y avoir du grabuge à la bibliothèque.

— Pas du grabuge, des fiançailles, annonça joyeusement Gaylynn.

— Tu peux nous féliciter, Hunter, dit Floyd avec un sourire rayonnant de fierté. Otis et moi venons d'enterrer la hache de guerre.

Après le départ de Floyd, d'Otis et des jeunes gens, Gaylynn mesura l'importance de ce qui venait de se passer. Son cœur se gonfla de fierté et de joie. Malgré les cris et l'agressivité d'Otis et de Floyd, elle n'avait pas paniqué. Elle leur avait tenu tête, elle avait pris le contrôle de la situation et les avait réduits au silence avec fermeté et autorité.

Comme au bon vieux temps.

— Veux-tu m'expliquer ce qui s'est passé ? demanda sèchement Hunter.

— C'est de la magie.

— Je suis presque tenté de te croire. Je ne pensais pas que ces deux têtes de mule pourraient un jour se trouver dans la même pièce sans se rouer de coups ou se livrer à un concours de hurlements.

— Ils ont crié, admit Gaylynn. Mais j'ai gagné.

— Comment as-tu fait ?

Levant le menton, elle dit fièrement :

— Au cas où tu l'aurais oublié, je suis enseignante. J'ai l'habitude d'affronter des enfants difficiles.

A sa grande surprise, Hunter la plaqua contre lui et l'embrassa avec fougue.

— Pourquoi ce baiser ? demanda-t-elle d'une voix tremblante de passion lorsqu'ils se séparèrent enfin.

— Parce que tu es toi.

— Je ne te savais pas si peureux, se moqua Gaylynn comme Hunter lui immobilisait le poignet.

— Je veux juste être certain que tu sais ce que tu fais, se défendit son compagnon.

— C'est toi qui voulais que je te coupe les cheveux.

— C'était avant de te voir ce sourire démoniaque.

— Je ne couperai rien d'indispensable, je te le promets.

Après lui avoir pris les ciseaux des mains et les avoir posés hors de sa portée sur la table de la salle à manger, Hunter l'attira sur ses genoux et lui mordilla l'oreille.

— Tu vas payer ton audace, femme, avertit-il d'une voix caverneuse.

— Je l'espère bien, répliqua-t-elle avec un sourire ravi. Que comptes-tu me faire ?

— Un peu de ceci...

Hunter lui mordilla l'oreille.

— ... beaucoup de cela...

Il sema sa gorge de petits baisers, caressa ses jambes satinées.

— Tu fais diversion pour que je ne te coupe pas les cheveux, accusa Gaylynn, le souffle court.

— A ton avis, ça marche ?

— Tout semble fonctionner à merveille, répondit-elle en calant ses reins contre le ventre de son compagnon. Mais il faudrait un examen approfondi pour en être sûr.

— Je t'en prie, encouragea Hunter en s'adossant à sa chaise, les bras en croix. Examine tout ce que tu veux.

Vive comme l'éclair, Gaylynn se réfugia de l'autre côté de la table et récupéra les ciseaux juste avant que Bleuet ne saute dessus.

— Dès que j'aurai fini de te couper les cheveux.

— Pourquoi tiens-tu à jouer la coiffeuse aujourd'hui ? demanda Hunter.

— Tu m'as demandé de te rendre ce service, rappela la jeune femme. Et puis, j'ai remarqué que les femmes de Lonesome Gap te regardent un peu trop ces derniers temps. Tu es beaucoup trop sexy avec les cheveux longs.

Levant les yeux au ciel, Hunter gémit.

— J'entrevois un changement dramatique dans mon avenir.

— Ne dramatise pas. Je me contenterai d'un petit coup de ciseaux ici et là.

En réalité, Gaylynn passa plus de temps à lui caresser les cheveux et à s'émerveiller de leur texture soyeuse qu'à les couper. N'ayant pas le cœur de sacrifier ses longues boucles brunes, elle se limita à un léger rafraîchissement, admirant et comptant au passage les quelques fils gris qui accentuaient son charme viril.

— Tes trente-cinq cheveux blancs te donnent un air distingué, dit-elle à la fin de son inventaire.

— Tu en as fait pousser cinq quand tu t'es approchée avec ces ciseaux, reprit Hunter.

— Ne bouge pas, recommanda-t-elle alors qu'il provoquait Bleuet en duel avec un stylo. Sinon je risque de couper quelque chose de précieux.

Comme chaque fois qu'Hunter jouait avec Bleuet, Froussard et Cléo accoururent. Les trois chats avaient rapidement compris que le compagnon de leur maîtresse était inoffensif et, désormais, ils se précipitaient vers lui et réclamaient ses caresses dès qu'il passait la porte d'entrée.

Comme Gaylynn. Elle aussi adorait sentir les mains et la bouche d'Hunter sur sa peau. Contenant un frisson d'excitation, elle se hâta d'achever sa tâche.

— Voilà, j'ai fini, annonça-t-elle en tendant un miroir à Hunter avec un geste cérémonieux. Qu'en penses-tu ?

Il n'accorda pas un regard à son reflet.

— C'est parfait. Maintenant, passons à l'examen.

Gaylynn haussa un sourcil perplexe.

— Lequel ?

— Tu as parlé d'examen approfondi, pour voir si tout marchait bien, rappela-t-il avec un sourire coquin.

— Oh, ça.

— Oui, ça.

Avec un sourire en coin, Gaylynn lui tendit la main et l'entraîna dans le couloir.

— Je ne crois pas que tu aies eu l'occasion d'admirer ma chambre comme elle le mérite.

— Voilà une proposition que je ne peux refuser.

— Tu ne remarques rien ? demanda-t-elle lorsqu'ils entrèrent dans la pièce illuminée par le soleil couchant.

— Il y a une boîte de préservatifs sur la table de nuit, dit aussitôt Hunter.

— A part ça ?

Il haussa les épaules.

— Quand tu es près de moi, je ne vois plus que toi.

— Je sais. Et je ne t'en aime que plus.

Gaylynn avait fait cette déclaration sous forme de boutade, pour ne pas affoler son compagnon.

— Regarde bien. Il y a quelque chose de changé.

Hunter balaya la pièce d'un rapide regard. Le lit à barreaux de cuivre était toujours à la même place, la commode à plateau de marbre surmontée d'un miroir aussi.

Cependant, nota-t-il distraitement, Gaylynn avait ajouté des touches féminines au décor de la pièce : un bouquet de roses, une coupelle de pot-pourri, des rideaux de dentelle, le coussin rouge qu'elle avait acheté avec lui lors de sa première visite à la Galerie des cadeaux.

En revanche, il ne reconnaissait pas…

— La descente de lit ?

— Elle était déjà là quand je suis arrivée.

— Le cadre sur le mur ?

De la main, il indiqua l'ours brodé au point de croix sous lequel figurait le conseil : « Quand la vie vous donne du fil à retordre, brodez ».

— Tu brûles.

Hunter n'avait plus envie de passer les meubles et les bibelots de la chambre en revue. Il avait des choses beaucoup plus intéressantes et excitantes à l'esprit.

— Je donne ma langue au chat.

— Le couvre-lit, s'écria Gaylynn avec exaspération. Je l'ai acheté à Ma Battle ce matin. Il est magnifique, non ?

Hunter n'accorda même pas un regard à l'édredon en patchwork.

— Superbe. Etrennons-le.

Sans cérémonie, il renversa sa compagne sur le lit. Mais, au lieu de se fondre contre lui comme à l'accoutumée, elle s'écarta d'un bond. Plus étonnant encore, elle le prit par la main et l'obligea à se lever aussi.

— Tu vas le froisser. C'est une œuvre d'art. Il faut en prendre soin.

Il leva les yeux au ciel.

— Alors sa place est sur le mur, pas sur le lit. Pour ma part, je préfère t'admirer toi.

Tout en parlant, il souleva le bas du couvre-lit.

— Aide-moi à le plier.

Il profita de ce que Gaylynn lui tendait les deux autres coins de l'édredon pour l'embrasser sur la bouche. Mais il se redressa avant qu'elle ait pu lui rendre son baiser.

Son léger sourire et son regard taquin apprirent à la jeune femme qu'il prenait plaisir à la provoquer. Ils pouvaient être deux à jouer à ce petit jeu, décida-t-elle en riant sous cape.

— Tu apprends vite, constata Hunter avec un sourire appréciateur lorsqu'elle s'écarta précipitamment après avoir effleuré ses lèvres en un baiser aussi bref qu'incendiaire.

Quand il la coucha de nouveau sur le lit, elle l'accueillit à bras ouverts. Et, tandis qu'ils faisaient l'amour jusqu'au bout de la nuit, elle se répéta que leurs étreintes lui suffisaient, que la passion de ses baisers et de ses caresses était aussi significative qu'un long serment d'amour.

— Tu ne vois toujours rien, j'espère ? demanda Hunter en aidant Gaylynn à contourner un buisson de rhododendron.

— Comment pourrais-je voir quoi que ce soit quand tes grandes mains cachent mes yeux ? répliqua Gaylynn avec humeur.

— Une seule, corrigea-t-il. L'autre te tient par l'épaule pour te guider.

En théorie. A chaque pas, les doigts d'Hunter glissaient sur la gorge de la jeune femme. A présent, il parvenait à frôler la pointe d'un sein.

— Je sais où tu veux m'emmener, marmonna Gaylynn. Nous avons traversé la cour et nous allons dans le bois.

Pince-sans-rire, elle demanda :

— Tu veux encore me montrer un *trilium erectum* ?

— Mieux que ça. Tu es prête ?

— On dirait que toi, tu l'es, observa-t-elle avec un léger sourire en se serrant contre son compagnon de manière à caler ses reins contre son ventre brûlant.

Hunter se vengea en emprisonnant son sein dans la paume de sa main.

— Je suis comme les scouts. Toujours prêt. Qu'en penses-tu ?

Les yeux toujours clos, elle se lova contre lui et nicha la tête contre son épaule musclée avec un soupir de plaisir.

— C'est très agréable.

— Je parlais de la vue.

— Oh.

Rouge d'embarras, elle ouvrit les yeux. En entendant un ruissellement d'eau, elle avait pensé qu'ils étaient tout près de la rivière. A présent, elle s'apercevait qu'ils se tenaient devant une cascade. Le soleil projetait ses rayons radieux dans l'eau qui tombait du haut d'une paroi rocheuse et continuait son chemin vers la vallée en bondissant avec exubérance de pierre en pierre.

— C'est magnifique, souffla-t-elle avec émerveillement. Comment as-tu connu cet endroit ? Il est très loin de la route.

— Je l'ai découvert par hasard. Depuis, c'est mon jardin secret. J'y viens chaque fois que j'ai besoin de réfléchir ou d'oublier mes soucis.

Posant dans l'herbe brodée de fleurs sauvages multicolores le panier qui contenait leur pique-nique, Gaylynn noua les bras autour du cou de son compagnon et l'embrassa avec ferveur.

— Pourquoi ce baiser ? demanda-t-il tout contre ses lèvres.

— Pour te remercier de me faire partager ton coin de paradis. Je l'adore.

« Mais pas autant que toi », ajouta la jeune femme en silence. Elle aimait tant Hunter qu'elle avait l'impression que son cœur allait exploser si elle ne le lui avouait pas. Mais bien sûr, elle devait continuer de se taire, pour ne pas lui faire peur ou le choquer.

Ils venaient de passer des semaines idylliques. Depuis que son adjoint n'avait plus besoin de béquilles pour se déplacer et avait repris une activité professionnelle normale, Hunter avait beaucoup plus de temps à consacrer

162

à Gaylynn. De son côté, la jeune femme avait calqué ses heures de présence à la bibliothèque sur les permanences assurées par son compagnon, de sorte qu'ils déjeunaient ensemble au Lonesome Café ou Chez Hazel.

Quand ils étaient de congé, Hunter lui faisait visiter le reste de la région. Ils avaient notamment pris la Blue Ridge Parkway, s'arrêtant à chaque belvédère — soit environ tous les dix kilomètres — pour admirer la vue époustouflante et surtout pour échanger de longs baisers.

Aujourd'hui, le temps était à l'orage, une chaleur étouffante s'était abattue sur la vallée. Cependant, aux abords de la cascade nichée dans la verdure, l'air était délicieusement frais.

Quand, en passant chercher Gaylynn, Hunter l'avait informée qu'il l'emmenait pique-niquer dans les bois, la jeune femme avait voulu se changer, estimant que son chemisier rouge et sa jupe en jean n'étaient pas la tenue idéale pour une randonnée au milieu des insectes et des plantes vénéneuses.

Cependant, Hunter l'en avait dissuadée, lui assurant que leur promenade serait sans difficulté ni danger.

— A part moi, avait-il précisé en enveloppant ses jambes joliment bronzées d'un regard de prédateur affamé. Je risque d'être très dangereux.

Il avait eu raison. Son sourire chaleureux suffisait à bouleverser Gaylynn et à faire naître des espoirs fous dans son cœur.

— Madame…

Lui prenant galamment la main, Hunter l'aida à s'asseoir sur la nappe à carreaux rouge et blanc qu'il avait étalée sur un grand rocher plat inondé de soleil.

Il avait apporté beaucoup de choses à manger avec les doigts : des dés de fromage suisse, de jambon au miel, des épis de maïs miniature, des oranges.

Jamais Gaylynn n'aurait pensé que manger pouvait être si érotique. Le seul fait de mordiller les doigts de son compagnon chaque fois qu'il glissait un morceau de fromage ou de jambon entre ses lèvres la faisait frissonner d'excitation.

Et, quand Hunter suça ses doigts un à un lorsqu'elle lui donna à son tour la becquée, elle sentit les pointes de ses seins se durcir sous son chemisier. Fascinée, elle observa ensuite les doigts musclés et agiles de son compagnon alors qu'il lui préparait une orange. Assise entre ses jambes, le dos confortablement calé contre son torse, savourant le jeu des muscles puissants de ses bras à chacun de ses mouvements, elle ouvrit la bouche pour mordre dans le quartier qu'il lui présentait.

Lorsque quelques gouttes de jus giclèrent sur son menton, Hunter se pencha pour les essuyer de la langue. Enivré par la saveur délicate de sa peau, il décida de prolonger l'opération et pressa carrément le reste du quartier sur sa gorge.

— Enlevons vite ce joli chemisier avant de le tacher, suggéra-t-il en joignant le geste à la parole.

Lorsqu'il vit combien elle frémissait dans son body de dentelle noire, il voulut écarter le voile arachnéen qui montrait davantage qu'il ne cachait.

— Attends ! protesta Gaylynn. N'importe qui peut nous voir.

— Personne ne vient jamais par ici.

Hunter sourit avec malice avant d'ajouter :

— Mais, si cela peut te rassurer, je connais un endroit encore plus isolé.

Lorsqu'elle tendit la main pour récupérer son chemisier, il enlaça ses doigts aux siens et l'entraîna droit vers l'eau .

— Je ne sais pas nager, avertit-elle prudemment.

— Je veux effectivement te voir submergée. Mais pas d'eau : de passion, précisa-t-il en l'enveloppant d'un regard brillant de promesses sensuelles.

Gardant un bras protecteur autour de sa taille pour l'empêcher de glisser sur les pierres humides, il la mena derrière le rideau d'eau, dans une grotte creusée dans la paroi rocheuse.

Tout au désir qui grondait dans ses veines, la jeune femme ne remarqua même pas que l'air était glacial et humide. Elle n'était consciente que de la chaleur des lèvres de son amant sur son visage, ses épaules, sa poitrine tandis qu'il la prenait aux hanches et la juchait sur un gros rocher pour qu'elle soit à la même hauteur que lui.

Deux baisers incandescents plus tard, sa jupe était remontée sur sa taille et le bas de son body défait. Brûlant, Hunter palpitait contre elle. Comme s'ils avaient attendu cet instant toute leur vie, ils s'unirent avec fièvre et se perdirent dans les bras l'un de l'autre avec le même cri de plaisir.

Eperdu de passion, Hunter embrassa sa compagne avec voracité et l'emplit de sa force et de sa chaleur. Elle se soumit sans réserve à son assaut impétueux, nouant les jambes derrière ses reins pour mieux épouser son rythme. Le plaisir fondit sur eux au même instant et les fit s'étreindre de toutes leurs forces tandis qu'ils s'envolaient vers les cimes de la jouissance.

Lorsqu'elle rouvrit les yeux, Gaylynn ne trouva pas les mots pour exprimer son émerveillement devant la beauté et l'intensité de ce qu'ils venaient de partager. Redoutant qu'Hunter ne lise sur son visage tout l'amour qui gonflait son cœur, elle tenta de plaisanter.

— On dirait que cette grotte a des vertus aphrodisiaques. Tu viens souvent ici ?

— Un gentleman ne répond pas à ce genre de question, répliqua Hunter avant de reprendre possession de ses lèvres.

Leur pique-nique se prolongea jusqu'en fin d'après-midi. Après leur étreinte torride dans la grotte, ils reprirent des forces en dévorant tout ce qui restait dans le panier, puis le désir insatiable qu'ils avaient l'un de l'autre se raviva de lui-même.

Sa passion décuplée par le plaisir qu'elle avait connu un peu plus tôt, Gaylynn oublia ses réticences et ils firent longuement et délicieusement l'amour sur la nappe à carreaux.

Lorsqu'ils regagnèrent enfin son chalet, momentanément comblés et rassasiés, Hunter décida de faire du feu dans sa cheminée et se mit à couper du bois. Assise sous la véranda, Gaylynn regarda la hache qui s'abattait à un rythme régulier, fendant les bûches en deux comme si elles étaient tendres comme de la guimauve. A chaque mouvement, les muscles d'Hunter saillaient sur son dos et ses épaules, remarqua-t-elle tandis qu'un délicieux frisson la parcourait.

— J'ai hâte de te voir allumer le feu, chuchota-t-elle à l'oreille de son amant lorsqu'elle alla l'embrasser dans le cou.

— Es-tu une de ces citadines qui prennent plaisir à tourner la tête d'un pauvre montagnard ? demanda-t-il en feignant d'être scandalisé.

— Je fais de mon mieux, assura-t-elle en se pelotonnant contre lui.

Hunter contint vaillamment le désir qui renaissait dans ses veines. Il avait des projets bien précis concernant leur soirée et ils impliquaient un belle flambée dans la cheminée.

— Si tu me laisses continuer ce que j'ai commencé, tu ne seras pas déçue, promit-il d'une voix sensuelle. Au lieu de me torturer, aide-moi et apporte-moi à boire.

— Oui, seigneur et maître, railla-t-elle en s'inclinant exagérément bas. Dois-je te préparer un sandwich au beurre de cacahuète tant que j'y suis ?

— Avec du ketchup, s'il te plaît.

— Seulement dans tes rêves !

Riant aux éclats, Gaylynn se dirigea vers la cuisine en ondulant des hanches. Comme elle l'espérait, les cognements sourds de la hache ralentirent puis cessèrent entièrement.

— Tu as les jambes d'un cheval du Tennessee, lança Hunter derrière elle.

Ignorant tout de l'anatomie équine, Gaylynn ne sut s'il s'agissait d'un compliment. Elle se retourna lentement.

— Cela veut dire qu'elles sont courtes ?

— Cela veut dire qu'elles sont racées et merveilleusement galbées.

— Merci.

— N'oublie pas de me rapporter à boire, recommanda Hunter. Et aussi une serviette. Je suis en nage.

Après lui avoir tendu une bière et avoir posé une serviette de toilette sur la balustrade de la véranda, Gaylynn reprit son poste d'observation. Elle-même s'était contentée d'un verre de limonade. Dévorer des yeux le torse musclé et brillant de sueur d'Hunter suffisait amplement à l'enivrer.

Sous son regard admiratif, celui-ci renversa la tête en arrière et but à la régalade.

« Cet homme superbe est à moi, pensa-t-elle avec orgueil. Rien qu'à moi ».

Mais pour combien de temps ? demanda une voix désagréable dans sa tête. Hunter n'évoquait jamais l'avenir et rien dans son attitude n'indiquait qu'il envisageait plus qu'une relation éphémère entre eux. Même s'ils partageaient des moments de communion parfaite du corps et de l'esprit, ses sentiments restaient une énigme pour Gaylynn.

Résolue à ne pas gâcher l'instant présent avec ses doutes et ses inquiétudes, la jeune femme frappa dans ses mains.

— Tu as un feu à allumer. La pause est terminée. Au travail.

— Esclavagiste, marmonna Hunter en posant sa bouteille de bière à moitié vide à ses pieds. Négrière !...

Par la suite, Gaylynn fut incapable d'expliquer ce qui avait mal tourné. Sous son regard horrifié, la lame affûtée de la hache ricocha sur le billot et alla entailler la cuisse d'Hunter.

10.

Du sang ! Il y en avait partout. Sur la hache, sur le jean d'Hunter, dans l'herbe…

Gaylynn se figea alors que le présent et le passé se confondaient devant ses yeux en images d'épouvante : Duane sous un drap, le sang répandu sur le sol…

Mais maintenant, c'était Hunter qui saignait.

Instinctivement, elle effleura sa broche. Aussitôt, la panique qui la paralysait se dissipa et elle sut ce qu'elle devait faire.

S'emparant de la serviette, elle se précipita vers Hunter qui s'était effondré au sol, une main plaquée sur sa cuisse ensanglantée. Doucement mais fermement, elle pressa la serviette sur sa blessure.

— Y a-t-il une ambulance ou un service d'urgence que je puisse appeler ?

Les traits crispés par la souffrance, Hunter secoua la tête.

— L'hôpital le plus proche est à Summerville.

— D'accord. Je vais t'y emmener.

Prestement, Gaylynn déboutonna son chemisier. Hunter esquissa un sourire et murmura :

— A mon grand regret, je ne crois pas être en état de faire des folies.

Même en cet instant dramatique, il essayait de la faire rire et de la ménager, comprit-elle, le cœur débordant de tendresse.

— Ne parle-pas, ordonna-t-elle gentiment. Garde tes forces.

— Je vais m'évanouir, avertit-il juste avant que sa tête retombe contre l'épaule de la jeune femme.

Tout en priant le ciel pour que son évanouissement soit uniquement causé par la vue du sang qu'il perdait, Gaylynn noua son chemisier autour de la serviette pour la maintenir en place. Elle prit cependant soin de ne pas trop la serrer pour ne pas entraver la circulation sanguine.

Hunter revint à lui juste comme elle désespérait de parvenir à le traîner seule jusqu'à sa voiture.

— Hé, grand garçon, dit-elle avec un entrain forcé, crois-tu pouvoir rester éveillé assez longtemps pour clopiner jusqu'à ta superbe voiture de police ?

— Les clés… poche de mon jean, balbutia Hunter en se tournant péniblement sur le côté.

Prestement, elle récupéra le trousseau.

— Je les ai.

Percevant son angoisse sous son attitude réconfortante, Hunter s'excusa :

— Je suis désolé, Red.

— Ce n'est pas moi qui me suis évanouie à la vue de quelques gouttes de sang, s'efforça-t-elle de plaisanter. Je suis forte et coriace, tu te souviens.

Tandis qu'elle courait prendre une longue branche robuste sur le tas de bois, elle avisa la chemise d'Hunter restée près du billot et l'enfila sur son body.

— Penses-tu pouvoir t'appuyer sur cette béquille de fortune ? demanda-t-elle en revenant près de son amant.

— Bien sûr.

170

C'était plus vite dit que fait, cependant ils arrivèrent tant bien que mal à la voiture, Gaylynn soutenant le blessé avec une force dont elle ne se serait pas crue capable. Epuisé par l'effort, Hunter s'affala sur la banquette arrière.

Des gerbes de terre et de cailloux volèrent dans la cour alors que Gaylynn fonçait vers la vallée aussi vite que la prudence le permettait. Tout en négociant un virage d'une main, elle sortit son téléphone portable de son sac et appela la Station Twitty dont elle avait mémorisé le numéro à force de le voir sur l'en-tête des factures de nourriture pour chat.

— C'est moi, Gaylynn, dit-elle dès qu'elle eut Floyd en ligne. J'ai besoin d'aide. Boone est-il près de vous ?

— Il a emmené Stella et Ma Battle faire les magasins à Summerville. Que se passe-t-il, Gaylynn ? Vous êtes souffrante ?

— Ce n'est pas moi, c'est Hunter, il s'est blessé en fendant du bois. Je serai chez vous dans dix minutes. Il faut que vous conduisiez la voiture pendant que je m'assois à l'arrière avec Hunter pour comprimer sa plaie.

— Je vous attendrai, promit Floyd. Ne vous faites pas de souci, nous serons à l'hôpital avant que vous ayez eu le temps de dire « ouf ».

Ces paroles rassurantes ne parvinrent cependant pas à apaiser Gaylynn. Elle était au bord de la nausée, son cœur palpitait à un rythme fou. Tant de choses pouvaient mal tourner, Hunter pouvait avoir un malaise, faire une hémorragie interne…

Vaillamment, elle s'interdit de continuer à penser au pire.

— Prévenez l'hôpital de notre arrivée, lança-t-elle d'une voix tremblante avant de raccrocher.

Elle trouva Floyd en train de faire les cent pas devant la pompe à essence. De grosses lunettes aux verres épais comme des fonds de bouteille cachaient ses yeux.

— Je déteste porter ces machins, maugréa-t-il quand Gaylynn s'arrêta devant lui dans un crissement de freins. Mais j'y verrai peut-être mieux.

Tandis que la jeune femme s'agenouillait près d'Hunter, Floyd s'installa derrière le volant et pressa tous les interrupteurs en marmonnant pour lui-même :

— J'ai toujours eu envie de conduire une voiture de police. Où est la sirène ?

Lorsqu'un hurlement strident retentit, il ajouta :

— Tant que j'y suis, je vais allumer le gyrophare.

Puis il se tourna brièvement vers Hunter.

— Merci d'exaucer le rêve d'un vieil homme, Hunter.

— De rien, répondit faiblement le blessé.

— Accrochez-vous, nous partons !

Floyd redémarra dans un hurlement de moteur.

— J'ai toujours voulu avoir une belle femme à genoux devant moi, plaisanta Hunter comme Gaylynn exerçait une légère pression sur la serviette trempée de sang.

— Tu n'aurais pas pu trouver un moyen plus simple pour attirer mon attention ? reprit-elle tendrement, émue par les efforts qu'il déployait pour apaiser son angoisse.

— Je ne regrette rien. Grâce à moi, Floyd est heureux.

— La prochaine fois, prête-lui les clés de ta voiture.

— Entendu, Red.

Hunter était toujours torse nu, sa respiration était saccadée, il claquait des dents.

— Tu as froid ? s'inquiéta Gaylynn. Veux-tu que je te rende ta chemise ?

Il secoua la tête.

172

— Garde-la. Je ne veux pas que les médecins… te regardent de trop près.

— Ce sont plutôt les infirmières qui vont se rincer l'œil. Tu es torse nu.

— Ne te fais pas… de souci.

— Bien sûr que non.

Mais, en son for intérieur, Gaylynn était morte d'inquiétude et implorait tous les saints du paradis de veiller sur l'homme qu'elle aimait.

Affichant une sérénité qu'elle était loin de ressentir, elle continua cependant à babiller d'un ton léger, autant pour distraire Hunter et le maintenir éveillé que pour oublier l'angoisse qui lui nouait l'estomac.

Floyd ne s'était pas vanté quand il avait affirmé connaître la route pour Summerville comme le dos de sa main. Il les amena à l'hôpital en un temps record et les déposa directement devant l'entrée des urgences.

Aussitôt, deux brancardiers se précipitèrent vers Hunter pour l'aider à descendre de voiture. Après l'avoir étendu sur une civière, ils l'emmenèrent en salle d'examen.

A sa grande déception, Gaylynn ne fut pas autorisée à les suivre, elle dut se contenter d'aller remplir les formalités d'admission à la réception. Qui se souciait du numéro d'assuré d'Hunter ou du nom de jeune fille de sa mère quand il risquait de mourir ? pesta-t-elle en silence en rendant les formulaires dûment signés mais à moitié renseignés à la matrone revêche qui se tenait derrière le comptoir.

— Quand pourrai-je voir M. Davis ? demanda-t-elle d'un ton pressant. Comment va-t-il ?

— Allez dans la salle d'attente, nous vous tiendrons au courant, répondit la femme avec indifférence.

Floyd tint compagnie à Gaylynn tandis qu'elle arpentait le linoléum d'une minuscule pièce sans fenêtre. Tout en ruminant son angoisse, la jeune femme revécut par la pensée les moments heureux qu'elle avait partagés avec son amant : Hunter posant une main sur ses yeux pour la conduire à la cascade, Hunter lui faisant l'amour dans la grotte et volant des frites dans son assiette au Lonesome Café, Hunter l'embrassant après l'avoir surprise en train de regarder par la fenêtre de la bibliothèque, Hunter la défiant pour une partie de basket, provoquant Bleuet en duel avec un stylo...

Ce stupide accident lui faisait soudain prendre conscience de la futilité de ses angoisses passées. Aujourd'hui, elle était confrontée à un risque bien plus grand que celui d'être agressée par un délinquant juvénile : perdre Hunter pour toujours. Toutes les autres vicissitudes de la vie lui paraissaient désormais insignifiantes.

La salle d'attente parut rétrécir quand Boone, Stella et Ma Battle y firent irruption.

— Quand j'ai appelé à la maison, grand-mère m'a appris qu'Hunter était blessé, expliqua Boone. Comment va-t-il ?

— Nous n'avons aucune nouvelle, se lamenta Gaylynn.

Ma Battle lui passa un bras affectueux autour des épaules.

— Ne vous inquiétez pas. Hunter est solide comme un roc. Il s'en sortira.

— Je l'espère de tout mon cœur, chuchota Gaylynn en joignant les mains avec ferveur.

Son visage blême et défait et les larmes qui noyaient son regard indiquaient qu'elle était sur le point de craquer. Ma Battle décida de la distraire jusqu'à ce qu'un médecin vienne leur faire un compte rendu de l'état de santé d'Hunter.

— Je sais que ce n'est pas le moment, mais j'ai de bonnes nouvelles pour vous, annonça-t-elle. J'ai dressé le bilan trimestriel du Comité de bienfaisance. Nous avons fait d'excellents investissements.

— Tant mieux, murmura Gaylynn qui se souciait comme d'une guigne de la santé financière du Comité.

— Nous avons décidé à l'unanimité de faire don de nos bénéfices à la bibliothèque, enchaîna Ma Battle.

Négligemment, elle précisa :

— Cela devrait représenter dans les quinze mille dollars.

Boone et Stella poussèrent un cri de surprise et ouvrirent de grands yeux. Leur réaction força Gaylynn à se concentrer sur les paroles de son interlocutrice.

— Quinze mille dollars ? répéta Boone. Tant que ça ?

Ma Battle confirma d'un hochement de tête.

— Depuis six ans, nous jouons en bourse. Nous avions pris le risque de miser sur les nouvelles technologies. Notre audace a payé.

— Je croyais que vous ne faisiez que jacasser, murmura Boone en secouant la tête.

— Il ne faut pas se fier aux apparences, répliqua fièrement Ma Battle. Au départ, nous n'avions que l'argent que nous avions gagné en vendant nos édredons et nos broderies. Mais, chaque année, nous avons réinvesti nos gains.

— Ça alors ! s'écria Floyd, stupéfait.

— Betsie voulait te faire la surprise. Elle allait tout te raconter ce soir au dîner, lui apprit Ma Battle. Mais

Gaylynn avait besoin d'entendre de bonnes nouvelles avant qu'on vienne lui annoncer qu'Hunter va s'en sortir.

Comme s'il n'avait attendu que cet instant, un médecin entra dans la salle d'attente.

— Qui accompagne Hunter Davis ?

— Comment va-t-il ? interrogea Gaylynn en se précipitant vers lui.

— Il a fallu douze points de suture pour recoudre sa plaie, mais à part ça tout va bien, l'artère fémorale n'avait pas été sectionnée. Vous avez fait du bon travail en comprimant sa blessure.

Au comble du soulagement, Gaylynn fondit en larmes.

— Puis-je le voir ? demanda-t-elle en s'essuyant les yeux d'un revers de main.

— Bien sûr, acquiesça le médecin. Suivez-moi.

Elle trouva Hunter assis sur une table d'examen. Une infirmière tentait vainement de l'approcher pour lui faire une piqûre.

— Allons, monsieur Davis, laissez-vous faire. C'est juste un analgésique.

Hunter la foudroya du regard.

— Ne me touchez pas ! ordonna-t-il en agitant les bras pour la tenir à distance. J'ai été assez piqué et cousu pour la journée.

Voyant Gaylynn, il se lamenta.

— Elle a coupé mon plus beau jean.

— Vous auriez préféré que ce soit votre jambe ? rétorqua l'infirmière. Estimez-vous heureux de vous en tirer à si bon compte.

Renonçant à discuter avec ce patient récalcitrant, elle lui tourna le dos.

— Puisque vous préférez souffrir, je vous laisse.

Puis elle disparut dans le couloir.

— Elle a raison, dit Gaylynn en emprisonnant tendrement les mains d'Hunter entre les siennes. Tu as eu beaucoup de chance. Comment te sens-tu ?

— Comme si j'avais été coupé par une hache. Quand peux-tu me faire sortir d'ici ? demanda-t-il avec impatience.

— Bientôt. Mais d'abord, j'ai quelque chose à te dire.

Gaylynn prit une inspiration tremblante et se jeta à l'eau.

— Je t'aime et je veux passer le restant de mes jours à te le montrer.

Comme Hunter s'apprêtait à répondre, elle l'arrêta d'un geste de la main.

— Ne dis rien. Laisse-moi terminer. J'ai compris que j'avais tort de laisser mes craintes dominer ma vie et m'empêcher d'être heureuse. Je ne veux plus laisser mes angoisses m'empêcher de me battre pour obtenir ce que je veux.

D'une voix vibrante de conviction, elle déclara :

— C'est toi que je veux.

Redoutant d'entendre des protestations qui anéantiraient son courage, elle se hâta de poursuivre.

— J'étais folle de toi quand j'avais treize ans. Mais ce que j'éprouve pour toi aujourd'hui est bien plus profond, bien plus intense.

Avec un rire de dérision, elle confia :

— Je serais tentée de croire que c'est grâce à la magie que tu as toujours été le seul homme dans mon cœur. Mais je suis forcée d'être lucide. Le coffret d'argent que tu as vu l'autre soir était censé être magique et me faire tomber éperdument amoureuse de la première personne que je voyais après l'avoir ouvert, c'est-à-dire d'un braconnier qui longeait le bois. Je dois me rendre à l'évidence, les pouvoirs de ce coffret ne sont qu'une jolie légende.

— Il n'y a pas de braconniers par ici, déclara Hunter en contenant un sourire.

— Alors c'était peut-être juste un vieil original.

— Il n'est pas vieux.

— Comment le sais-tu ?

Le regard brillant de gaieté, Hunter expliqua :

— C'était moi. Je rentrais de deux jours de planque dans les bas-fonds de Chicago. Mes anciens collègues m'avaient demandé de me déguiser pour tendre un piège à un psychopathe qui s'en prenait aux clochards.

— Mais… tu étais à pied. Plus tard, tu es passé chez moi en voiture.

— Il manquait de l'eau dans mon radiateur. Alors j'ai laissé ma voiture au bord de la route et j'ai coupé à pied à travers bois pour aller prendre de l'eau chez moi. J'en ai profité pour me doucher et me changer avant de retourner récupérer ma voiture pour venir te rendre visite.

— Pourquoi ne me l'as-tu pas dit avant ? gémit Gaylynn. J'ai eu une peur bleue.

— Je ne pensais pas que tu m'avais vu. Tu semblais fascinée par quelque chose que tu tenais sur les genoux.

— C'était le coffret dont toute ma famille soutient qu'il est magique.

— Il doit être fait d'un alliage spécial parce qu'il est chaud au toucher.

— Seulement quand sa magie opère, d'après la légende.

Secouant la tête, Gaylynn dévisagea son compagnon avec de grands yeux étonnés.

— Alors c'était toi ! Je n'arrive pas à le croire.

— Auras-tu autant de mal à croire que je t'aime ?

Eperdue de bonheur, elle se serra contre lui.

— Alors le coffret est vraiment magique.

— C'est toi qui es magique, corrigea Hunter. Tu m'as ensorcelé dès le premier soir.

Il lui caressa tendrement la joue.

— Je sais que tu as traversé une période difficile et que j'abuse de ta vulnérabilité, mais...

— Moi, vulnérable ? s'écria Gaylynn en prenant un air offensé. Qui a gardé son sang-froid et pansé ta jambe ? Qui t'a sauvé la vie ?

Elle lui enfonça un doigt dans l'épaule.

— Tu m'es redevable. Et crois-moi, je vais réclamer mon dû.

— A combien estimes-tu ma dette ? demanda Hunter.

Une étincelle de malice pétilla dans le regard brillant d'amour de la jeune femme.

— Trente ou quarante ans de mariage devraient suffire. Pour commencer.

— C'est équitable, approuva Hunter en portant leurs mains enlacées à ses lèvres. A partir de quand ?

— Dès que possible.

— Hier n'est pas assez tôt pour moi.

Dix jours plus tard

— Tu sais, j'avais fait un vœu le jour de mon seizième anniversaire, confia Gaylynn.

Ils reposaient tendrement enlacés sur le grand lit de la chambre d'Hunter.

— Lequel ?

Elle leva la main gauche et admira l'anneau d'or qui brillait à son annulaire.

— Celui de devenir ta femme.

— J'espère que l'attente valait la peine, chuchota Hunter en la caressant.

— Et comment ! Cependant, je suis ravie que nous nous soyions enfuis pour nous marier. Je n'aurais pas eu la patience d'attendre que nous ayons fini d'organiser un grand mariage.

— Tu ne regrettes pas d'avoir dû rester à Lonesome Gap pour notre lune de miel ? s'inquiéta Hunter.

— Tu devais retourner à l'hôpital pour une visite de contrôle, rappela Gaylynn. Etre avec toi me suffit, je n'ai pas besoin de voyage de noces.

— J'aurais quand même bien aimé dormir dans une chambre d'hôtel avec un Jacuzzi en forme de cœur, rêva Hunter tout haut.

— Nous avons bien mieux : une grotte cachée derrière une cascade.

Gaylynn commenta.

— Tu as des facultés de guérison stupéfiantes, même les médecins n'en reviennent pas.

Hunter se remettait si bien qu'il n'avait même plus besoin de béquilles pour se déplacer.

— Je vais quand même garder une cicatrice.

— Comme ça, je me rappellerai toujours que j'ai failli te perdre. Si tu avais été seul quand tu fendais du bois…

Gaylynn fut parcourue d'un frisson glacé.

— Je ne l'étais pas, lui rappela gentiment Hunter. Tu étais près de moi.

Pour oublier ses sombres pensées, Gaylynn se concentra sur le décor de leur chambre.

180

— C'est bien pratique que ton chalet soit la copie conforme de celui de mon frère, hormis bien sûr la cheminée. Je n'aurai même pas besoin de raccourcir mes rideaux. Et l'édredon en patchwork ira très bien…

— … Sur le mur, décréta Hunter. Je ne vois pas l'utilité d'avoir quelque chose de fragile sur notre lit.

— Tu ne me trouves pas délicieusement délicate et fragile ?

D'un bras tendre, il ramena sa jeune épouse contre lui et effaça sa moue boudeuse d'un baiser.

— Tu es délicieuse tout court.

— J'espère que mes parents me pardonneront de ne pas les avoir invités à notre mariage, murmura Gaylynn.

— Ta mère ne m'a pas paru contrariée quand nous leur avons téléphoné. Quant à ton père, il a affirmé qu'il savait que cela arriverait.

Le front barré d'un pli soucieux, Gaylynn se souleva sur un coude.

— Tu réalises que, cet été, nous devrons leur rendre visite et endurer une grande réception avec toute la tribu Janos ?

— Nous devons également organiser une grande fête pour nos amis de Lonesome Gap, remarqua Hunter. J'inviterai mes parents et tous mes cousins. Floyd se fera une joie de jouer de la flûte. Et Ma Battle voudra sans doute se charger du repas.

— Nous aurions dû garder notre mariage secret, soupira Gaylynn qui n'avait pas envie de le partager avec des dizaines de personnes, ne fût-ce que le temps d'un repas.

— Et laisser tout le monde penser que nous vivions dans le péché ? Pas question. Ton père m'aurait jeté un mauvais sort.

— Tu es bien placé pour savoir que les sortilèges tziganes sont de bons sortilèges, nota la jeune femme avec un léger sourire. La preuve, je suis tombée amoureuse de toi grâce au coffret magique.

— Et dorénavant, nous vivrons heureux pour toujours, déclara Hunter en lui tapotant le bout du nez.

— Toi, tu as encore lu des contes tziganes.

— Coupable.

Hunter l'embrassa.

— Cependant, précisa-t-il, même s'il est magique, notre amour est bien réel, ce n'est pas de la fiction.

— Etre aussi heureux que nous devrait être interdit.

— Tu as épousé un représentant de la loi, je ne crois pas que tu doives t'inquiéter.

Avec un sourire radieux, Gaylynn se lova contre son mari et s'abandonna à ses mains et à ses lèvres expertes. Depuis qu'elle avait conquis son amour, elle ne craignait plus rien ni personne, elle se sentait capable de soulever les montagnes bleues qui les entouraient. Et comme un bonheur n'arrive jamais seul, le matin même, Ma Battle lui avait téléphoné pour lui annoncer que le Comité de bienfaisance l'avait nommée à l'unanimité directrice de la bibliothèque de Lonesome Gap.

Elle avait désormais tout ce qu'elle désirait : un travail passionnant, de vrais amis, et surtout un mari qui lui rendait son adoration au centuple. Sa vie n'aurait pas pu être plus parfaite...

COLLECTION

Coup de folie

Quand l'humour fait pétiller l'amour
1 roman par mois, le 15 de chaque mois

**Dès le 15 juin, un nouveau
Coup de Folie vous attend**

Une famille formidable, par Carol Finch - n° 12

Qui a dit que les parents étaient des gens *raisonnables* ?
Pour Janna, malgré ses vingt-huit ans bien sonnés, on
est loin du compte. Car ses parents semblent atteints
d'une crise d'adolescence aiguë. Sa mère a décidé de
devenir une femme d'affaires impitoyable, pendant
que son père batifole avec Georgina, la mère de Grant.
Grant… Son meilleur allié dans cette histoire de fou.
Si seulement il ne lui plaisait pas autant, elle aurait
moins de mal à échafauder des plans tordus pour
réconcilier ses parents. Mais Grant est diablement
sexy, en plus d'être attentionné, doux, compréhensif…
bref irrésistible !

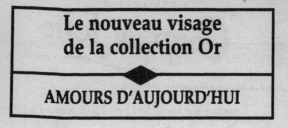

Le nouveau visage de la collection Or

AMOURS D'AUJOURD'HUI

Afin de mieux exprimer sa modernité et de vous séduire encore davantage, votre collection Or a changé de couverture et de nom depuis le 1er mars 1995.

Rassurez-vous, les romans, eux, ne changent pas, et vous pourrez retrouver dans la collection **Amours d'Aujourd'hui** tous vos auteurs préférés.

Comme chaque mois, en effet, vous y attendent des héros d'aujourd'hui, aux prises avec des passions fortes et des situations difficiles...

**COLLECTION
AMOURS D'AUJOURD'HUI :**
...nd l'amour guérit des blessures de la vie...

Chère lectrice,

Vous nous êtes fidèle depuis longtemps?
Vous venez de faire notre connaissance?

C'est pour votre plaisir que nous avons
imaginé un rendez-vous chaque mois
avec vos auteurs préférés, vos
AUTEURS VEDETTE dans les
collections Azur et Horizon.

Les AUTEURS VEDETTE vous
donneront rendez-vous pour de
nouveaux livres vedette.

Pour les reconnaître, cherchez
l'étoile... Elle vous guidera!

Éditions Harlequin

HARLEQUIN

LE FORUM DES LECTEURS ET LECTRICES

CHERS(ES) LECTEURS ET LECTRICES,

VOUS NOUS ETES FIDÈLES DEPUIS LONGTEMPS?

VOUS VENEZ DE FAIRE NOTRE CONNAISSANCE?

SI VOUS AVEZ DES COMMENTAIRES, DES CRITIQUES À FORMULER, DES SUGGESTIONS À OFFRIR, N'HÉSITEZ PAS… ÉCRIVEZ-NOUS À:

> LES ENTERPRISES HARLEQUIN LTÉE.
> 498 RUE ODILE
> FABREVILLE, LAVAL, QUÉBEC.
> H7R 5X1

C'EST AVEC VOS PRÉCIEUX COMMENTAIRES QUE NOUS ALLONS POUVOIR MIEUX VOUS SERVIR.

DE PLUS, SI VOUS DÉSIREZ RECEVOIR UNE OU PLUSIEURS DE VOS SÉRIES HARLEQUIN PRÉFÉRÉE(S) À VOTRE DOMICILE, NE TARDEZ PAS À CONTACTER LE SERVICE D'ABONNEMENT; EN APPELANT AU (514) 875-4444 (RÉGION DE MONTRÉAL) OU 1-800-667-4444 (EXTÉRIEUR DE MONTRÉAL) OU TÉLÉCOPIEUR (514) 523-4444 OU COURRIER ELECTRONIQUE: AQCOURRIER@ABONNEMENT.QC.CA OU EN ÉCRIVANT À:

> ABONNEMENT QUÉBEC
> 525 RUE LOUIS-PASTEUR
> BOUCHERVILLE, QUÉBEC
> J4B 8E7

MERCI, À L'AVANCE, DE VOTRE COOPÉRATION.

BONNE LECTURE.

...UIN.

...ASSEPORT POUR LE MONDE DE L'AMOUR.

COLLECTION
HORIZON

Des histoires d'amour romantiques qui vous mènent au bout du monde!

Découvrez la passion et les vives émotions qu'apportent à la Collection Horizon des auteurs de renommée internationale!

Captivantes, voire irrésistibles, ces histoires d'amour vous iront assurément droit au coeur.

Surveillez nos quatre nouveaux titres chaque mois!

69 L'ASTROLOGIE EN DIRECT
TOUT AU LONG
DE L'ANNÉE.

(France métropolitaine uniquement)
Par téléphone 08.36.68.41.01
0,34 € la minute (Serveur SCESI).

Composé et édité
PAR LES ÉDITIONS HARLEQUIN
Achevé d'imprimer en mai 2003

BUSSIÈRE
GROUPE CPI

à Saint-Amand-Montrond (Cher)
Dépôt légal : juin 2003
N° d'imprimeur : 32573 — N° d'éditeur : 9926

Imprimé en France